LE POUVOIR DES TROIS

*Traduit de l'américain
par Gilles Vaugeois
et adapté pour l'édition Jeunesse
par Cléo Bonnard*

Charmed

Le pouvoir des trois

Une novélisation d'Elisa Willard
d'après la série télévisée « Charmed »
créée par Constance M. Burge

5e édition

Édition Jeunesse

POCKET
jeunesse

Titre original :
The Power of Three

Série proposée par Patrice DUVIC

Loi n° 49-956 du 16 juillet 1949 sur les publications destinées à la jeunesse : novembre 2001.

TM & © 1999, Spelling Television, Inc. Tous droits réservés.
© 2001, éditions Pocket Jeunesse, département d'Univers Poche, pour la présente édition.

ISBN 2-266-11520-0

PROLOGUE

Serena Fredrick ouvrit d'un geste sec les volets blancs de la cuisine et laissa son regard errer dans la nuit. De gros nuages gris masquaient la pleine lune qui dominait la ville de San Francisco. Un éclair transperça le ciel, puis le tonnerre gronda et une pluie torrentielle s'abattit bientôt sur la cité.

Serena passa nerveusement la main dans ses longs cheveux blonds. Quelque chose clochait. Elle avait l'impression que quelqu'un, tapi dans l'ombre, l'observait.

Cela faisait déjà bien longtemps que Serena avait accepté sa destinée de sorcière au service du Bien, mais, lorsqu'elle pensait au démon qu'elle combattait depuis bientôt vingt-huit ans, elle ne pouvait s'empêcher de frissonner.

Serena secoua la tête. Il ne fallait pas qu'elle cède à la panique.

Elle se dirigea vers la cuisine, choisit une boîte pour son chat et en versa le contenu dans un bol.

— Viens, mon bébé ! appela-t-elle.

La chatte siamoise se mit à ronronner lorsque sa maîtresse posa le bol devant elle.

— Tu es une gentille fille, dit Serena tout en la caressant pendant qu'elle mangeait.

D'une main, elle joua machinalement avec l'amulette en or accrochée au collier de la chatte — un cercle plein comprenant trois anneaux entrelacés qui symbolisaient la bonté y était gravé. Serena avait fait tatouer le même dessin sous sa clavicule, en signe de porte-bonheur.

Un nouvel éclair illumina la pièce. Les lumières de l'appartement vacillèrent et la peur envahit de nouveau Serena.

— Un sortilège protecteur, prononça-t-elle à voix basse. Pour la paix de l'esprit.

La jeune fille retourna dans la cuisine, versa du vin rouge dans un calice en argent, et l'emporta dans le salon. Elle s'agenouilla devant une table basse recouverte d'une étoffe bleu foncé et y déposa le vase sacré, à côté de bougies disposées en cercle, d'un bol d'herbes et d'un couteau de cérémonie.

Elle prit une profonde inspiration avant d'effleurer la mèche de la première bougie avec son index.

— Feu, murmura-t-elle.

Une petite flamme apparut au bout de son doigt et la bougie s'alluma. Elle toucha ensuite délicatement la bougie suivante, puis une autre encore jusqu'à ce qu'elles fussent toutes enflammées.

Serena commença son incantation.

— « Grand Ancien de la Terre si profonde, psalmodia-t-elle, croisant les bras. Maître de la Lune et du Soleil. Je te dédie le rempart protecteur de la Wicca, là, dans mon cercle, te demande de protéger cet espace et de m'offrir les forces du Soleil... »

Une légère brise fit vaciller les bougies.

Serena eut la certitude que quelqu'un *l'épiait*, là, dissimulé dans l'obscurité. Elle se retourna.

Qui ? se dit-elle nerveusement. *Qui est-ce ?*

Les mains derrière le dos, un homme s'avança dans la lumière ; Serena poussa un soupir de soulagement. Elle connaissait ce visage qui lui souriait.

— Qu'est-ce que tu fabriques ici ? demanda-t-elle. Qu'est-ce qui se passe ?

Aucune réponse.

L'homme tendit les mains vers Serena. Pétrifiée, elle vit ce qu'il dissimulait.

La double lame effilée d'un couteau à la poignée dorée, incrustée de pierres rouges et bleues, brilla dans la lumière des bougies.

Serena voulut hurler, mais une douleur fulgurante à l'estomac l'en empêcha tandis que le poignard s'enfonçait.

Elle s'effondra.

CHAPITRE PREMIER

— Prue va être furieuse, marmonna Piper Halliwell.

Trempée, les bras chargés de courses, elle pénétra en trombe dans la maison rouge et crème, de style victorien, qu'elle partageait avec sa sœur aînée. Elle ignorait l'heure, mais elle savait en revanche qu'elle était vraiment en retard.

Piper et Prue, âgées respectivement de vingt-cinq et vingt-sept ans, vivaient dans cette vieille demeure de San Francisco depuis le décès de leur grand-mère, voilà environ six mois. Grams leur avait légué Halliwell Manor, ainsi qu'à leur plus jeune sœur, Phoebe, qui vivait actuellement à New York.

Toutes trois aimaient cet endroit. Après la mort de leur mère, Grams les y avait élevées. Leur père, quant à lui, n'avait plus donné signe de vie après le divorce.

Malgré des caractères différents, Prue et Piper s'entendaient bien. Prue ne supportait pas les retards perpétuels de sa cadette. Piper faisait tout pour changer, mais n'y arrivait presque jamais.

Piper posa les courses dans le vestibule et se dirigea vers le salon où elle trouva sa sœur.

Prue était grimpée sur un escabeau et se débattait avec un lustre en cristal. Elle fixa sévèrement sa sœur de son regard bleu acier.

Telle une petite fille prise en faute, Piper bafouilla une excuse :

— Désolée, je suis en retard.

— Tu étais censée être rentrée quand l'électricien viendrait, la sermonna Prue. Tu sais très bien que je ne peux pas quitter le musée avant six heures.

— Je sais, je sais, répondit Piper. Mais je faisais des courses dans Chinatown, et il s'est mis à pleuvoir... Je ne me suis pas rendu compte que le temps avait passé si vite.

Elle enleva son imperméable mouillé.

— Tu as réussi à réparer le lustre ?

— Non, se plaignit Prue. Ah, au fait, comment s'est passé ton entretien ? Alors, tu es cuisinière, maintenant ?

— Pas encore, répondit Piper. Moore exige un essai. Il faut que je retourne au restaurant demain et que je prépare un plat. Une de mes spécialités, ajouta Piper en imitant la voix du chef. Quelque chose qui soit digne de chez *Quake*.

— *Quake* ? C'est le nom du restaurant ?

— Oui. C'est à North Beach. Un endroit très chic, dit Piper en se dirigeant vers l'entrée pour suspendre son imperméable.

— Oh, flûte ! s'écria Prue.

Piper entendit un léger bruit de verre brisé. Elle se précipita dans le salon. Un des cristaux du lustre venait de s'écraser sur le sol.

Piper promena son pied parmi les débris de verre éparpillés sur le parquet ciré.

— T'en fais pas, Prue, je vais nettoyer tout ça.

— Merci, répondit sa sœur, agacée.

Prue ne supportait pas que les choses ne marchent pas comme elle l'avait décidé.

Piper se dirigeait vers la cuisine pour aller chercher un balai et une pelle lorsque la sonnette de l'entrée retentit. Elle traversa le vestibule et ouvrit la porte. Jeremy Burns, son petit ami, se tenait sous le porche, un bouquet de roses rouges et un paquet, joliment emballé avec un gros nœud violet, dans les mains.

Jeremy était vraiment séduisant ainsi trempé — surtout lorsqu'il apportait des roses rouges. Sa haute stature, ses cheveux bruns ondulés et ses yeux noisette lui conféraient élégance et charme.

Piper l'étreignit et l'embrassa, puis l'attira à l'intérieur de la maison.

— Qu'est-ce que tu fais là ? Je croyais que tu étais sur une enquête ?

Jeremy lui adressa un sourire de gamin et lui tendit ses fleurs.

Jeremy la gâtait vraiment. Depuis six mois qu'ils se fréquentaient, il était toujours aussi attentionné, et elle ne s'en lassait pas.

— C'est si gentil, Jeremy. Merci ! murmura Piper en se passant la main sur la joue, craignant de rougir.

— Bon, il faut que je retourne au boulot. Ah, voilà autre chose pour toi. Je pense que ça pourra t'aider pour ton essai de demain.

— Qu'est-ce que c'est ? interrogea Piper en secouant le paquet.

— Tu verras bien, dit Jeremy en souriant. (Il jeta un coup d'œil à sa montre.) Bon, il faut que j'y aille. Je dois interviewer quelqu'un dans dix minutes. J'espère que tu vas aimer ! lança-t-il en courant sous la pluie vers sa voiture.

Piper referma la porte d'entrée et rejoignit Prue dans le salon.

— Encore un cadeau ! s'exclama Prue en redescendant de son perchoir.

Piper posa les roses sur la table. Elle tira sur le ruban violet et enleva le papier pour découvrir une boîte en bois. Elle l'ouvrit et en sortit une bouteille noire marquée d'une étiquette blanche.

— Super ! s'écria-t-elle en la tendant à Prue.

— Jeremy t'a offert une bouteille de porto?

— C'est un porto très particulier. L'ingrédient indispensable pour mon essai de demain. Il peut me permettre d'obtenir ce boulot chez *Quake*.

— Il est sympa, ton copain, reconnut Prue en rendant la bouteille à sa sœur.

— Oui, je sais. Ah, il faut que je range les courses dans le frigo, dit-elle en déposant son présent sur la table.

Puis elle se souvint des morceaux de verre sur le sol. Prue suivit son regard. Elle devinait ce qu'elle pensait.

— T'en fais pas, la rassura Prue. Je vais tout ramasser.

Piper alla déposer ses achats dans la cuisine. En traversant la salle à manger, elle remarqua une petite planche en bois sur un guéridon.

— Je n'y crois pas, dit-elle en reposant ses paquets par terre. Ne me dis pas que c'est notre vieille planche aux esprits. Qu'est-ce que j'ai pu aimer ce jeu!

— Je l'ai trouvée dans le sous-sol en cherchant le compteur, dit Prue.

Piper caressa l'objet. C'était un cadeau de leur mère. Piper ne se souvenait pas quand ses sœurs et elle s'en étaient servies pour la dernière fois, mais cela remontait à bien longtemps.

La planche était recouverte de lettres, de chiffres et de symboles et était munie d'une baguette. Guidé par les esprits, l'objet était censé bouger tout seul pour déchiffrer des messages et répondre aux questions.

Autrefois, Prue avait pour habitude de demander à la planche ce qu'elle deviendrait lorsqu'elle serait grande. Quant à Phoebe, elle posait des questions stupides du style : « Qu'est-ce qu'on va manger aujourd'hui ? » Piper, elle, voulait toujours savoir quand Prue et Phoebe cesseraient de se battre. Elle n'avait jamais vraiment obtenu de réponse.

Elle saisit la planche et la retourna. Un sourire se dessina sur ses lèvres tandis qu'elle lisait à haute voix le message écrit au dos :

— « Pour mes trois jolies filles. Que cet objet vous donne la Lumière pour atteindre les Ténèbres. Le pouvoir des trois vous libérera. Avec tout mon amour. Maman. »

Elle se retourna vers Prue.

— Nous ne nous sommes jamais demandé ce que cette inscription signifiait.

— Écoute, je pense que nous devrions envoyer cette planche à Phoebe, répondit Prue en éclatant de rire. Elle est tellement insouciante qu'un peu de lumière et de clairvoyance ne lui ferait pas de mal…

Piper avait du mal à admettre que Prue en veuille autant à sa sœur après tout ce temps.

— Tu es toujours aussi dure, Prue, dit-elle en fronçant les sourcils.

— Piper, Phoebe est totalement irresponsable, se plaignit Prue.

— Je pense vraiment qu'elle va revenir, déclara Piper.

— Oui, d'accord, fit Prue d'un air las. Et c'est pour cette raison qu'elle est allée à New York afin de retrouver papa. Et alors ? Ce type est sorti de notre vie pour toujours. On ne sait même pas s'il est encore là-bas.

— Tu sais très bien que ce n'est pas l'unique raison de son départ, insista Piper, sans oser parler de Roger.

Prue et lui avaient été fiancés — jusqu'à ce que Phoebe l'accuse de vouloir la séduire. Le jeune homme avait alors rejeté la faute sur Phoebe. Ne sachant qui croire, Prue avait rompu ses fiançailles et, depuis lors, n'avait toujours pas pardonné à sa sœur tout ce gâchis.

Piper faisait confiance à Phoebe. Elle avait simplement essayé d'aider sa sœur aînée en la mettant en garde contre Roger.

— Je me fiche de savoir pourquoi elle est partie, dit Prue en faisant demi-tour. Tant qu'elle ne remet pas les pieds ici !

Piper avait espéré qu'une séparation momentanée favoriserait la réconciliation des deux sœurs. Phoebe était prête à faire la paix avec sa grande sœur, d'autant plus qu'elle n'avait pas obtenu les résultats escomptés à New York. Néanmoins, Piper se rendait bien compte que Prue n'avait nullement l'intention de pardonner à Phoebe, et qu'il était hors de question que leur jeune sœur retourne vivre avec elles.

Piper se mordit les lèvres nerveusement.

— Eh bien, il faut que je te dise quelque chose, et… en fait… je ne pense pas…

Piper se demandait comment elle pouvait lui annoncer que Phoebe était à San Francisco.

— Tu te décides ? insista Prue.

— Tu te souviens que nous avons eu une discussion à propos de cette chambre vide ?

Prue acquiesça.

— Eh bien, je pense que tu as raison, continua Piper. Nous avons besoin d'une colocataire.

— Nous pourrions la louer pour pas cher en échange de diverses tâches dans la maison, approuva Prue. Je vais passer une annonce dans *The Chronicle*, ajouta-t-elle.

— Phoebe nous manque, s'empressa d'affirmer Piper en lui emboîtant le pas.

— Phoebe vit à New York, lâcha Prue, en jetant un regard sévère à sa sœur par-dessus son épaule.

18

— En fait… Plus maintenant, laissa échapper Piper.

Prue s'arrêta net et se retourna.

— *Quoi?*

— Ça fait longtemps que j'ai envie que l'on se retrouve toutes les trois, enchaîna Piper. Et… bon… voilà… Phoebe a quitté New York. Elle revient vivre avec nous.

Prue n'en croyait pas ses oreilles.

— Non? Tu rigoles?

— Écoute, je ne pouvais pas refuser. C'est aussi sa maison. Grams l'a léguée à nous trois.

— Ça fait des mois que nous ne l'avons pas vue. On ne s'est pas parlé depuis une éternité! renchérit Prue.

Piper croisa les bras sur sa poitrine.

— En fait, c'est toi qui ne lui as plus adressé la parole.

— D'accord. Mais peut-être as-tu oublié ce qui s'est passé?

— Non, bien sûr que non, avança Piper, tentant de détendre l'atmosphère. Mais Phoebe ne sait pas où aller. Elle a perdu son boulot. Elle a une tonne de dettes…

— C'est ce qu'on appelle un scoop! Dis-moi, ça fait combien de temps que tu es au courant?

— Euh… à peu près deux jours, bégaya Piper. Enfin… une semaine ou deux.

— Merci de me tenir informée. Et quand est-ce qu'elle arrive?

À cet instant, la porte d'entrée s'ouvrit brusquement et Phoebe apparut.

Piper sourit à Phoebe, puis glissa un regard vers Prue.

— Eh bien, la voilà!

CHAPITRE 2

— Surprise ! dit Phoebe. J'ai retrouvé la clé de secours, et du coup je suis rentrée !

Prue examinait sa jeune sœur pendant qu'elle accrochait son parapluie dégoulinant d'eau derrière la porte d'entrée, tout en laissant choir son sac à dos sur le sol. Le simple fait de la revoir lui rappela de mauvais souvenirs, non seulement l'histoire avec Roger, mais également leurs vieilles disputes du temps où elles étaient gamines.

Prue avait toujours aidé Phoebe à se sortir de situations invraisemblables, mais cela n'avait jamais de fin. L'inconsciente Phoebe ne pouvait mesurer les conséquences de ses actes, et Prue s'était lassée de remettre de l'ordre dans ses affaires. Piper, quant à elle, essayait systématiquement de rabibocher ses sœurs.

— Phoebe ! (Piper la prit dans ses bras.) Bienvenue à la maison.

— Salut, Piper.

Phoebe l'étreignit à son tour, lança un coup d'œil à Prue et lui adressa un sourire timide.

Prue remarqua que sa sœur avait une nouvelle coupe de cheveux et qu'elle portait un jean et un débardeur, mais pas d'imperméable.

— On est ravies de te voir ! lui dit Piper. N'est-ce pas, Prue ?

— J'en reste sans voix, murmura celle-ci.

Dehors, un klaxon retentit.

— Oups ! J'ai oublié le taxi, dit Phoebe.

— Je m'en occupe, fit Piper.

Elle prit le portefeuille de Prue qui traînait sur la table de l'entrée et ouvrit la porte.

— Hé ! C'est à moi ! cria Prue.

Trop tard, Piper se trouvait déjà près du taxi.

— Merci, Prue. Je te rembourserai, promit Phoebe.

Prue esquissa une moue, indiquant qu'elle ne se faisait aucune illusion là-dessus, puis elle lui montra le sac à dos qui traînait par terre.

— Tu n'as que ça comme bagages ? demanda-t-elle, histoire d'alimenter la conversation.

— C'est tout ce que je possède. Ça et le vélo que j'ai laissé ici. Tu t'en souviens ?

Agacée, Prue laissa errer son regard dans la pièce, et un silence pesant s'installa entre les deux sœurs.

— Écoute, Prue, dit Phoebe, cherchant à aborder la difficulté de front, je sais que tu ne veux pas de moi ici.

— La maison de Grams n'est pas à vendre, laissa échapper Prue.

— Tu crois que je suis revenue pour ça ?

— Piper et moi, nous sommes ici pour une seule et unique raison : parce que cette maison appartient à notre famille depuis des générations...

— Je connais l'historique du lieu, l'interrompit Phoebe. Moi aussi, j'ai grandi ici. Est-ce que l'on pourrait parler de ce qui te gêne *vraiment*?

— Non, coupa Prue, contrôlant le tremblement de sa voix. Je suis toujours en colère contre toi.

— Tu préfères que nous parlions de choses et d'autres, comme si de rien n'était? demanda Phoebe avec un sourire narquois.

— Sûrement pas. Mais c'est vrai qu'on n'a pas grand-chose à se dire.

— Il ne s'est rien passé entre Roger et moi... Tu préfères croire sur parole ce costume-trois-pièces-Armani?

— Hé! intervint Piper en franchissant le seuil. J'ai une idée super. Qu'est-ce que vous diriez si je nous préparais un excellent dîner?

Au même moment, un éclair zébra le ciel et les lumières vacillèrent. Le regard de Prue passa de Piper à Phoebe.

— Je n'ai pas faim.

— J'ai mangé dans le car, ajouta Phoebe.

Elle traversa l'entrée, prit son sac et monta l'escalier.

— D'aaaccoord, soupira Piper. On se parlera plus tard. Ça vous va ?

— Tu as pigé.

Prue se dirigea vers la cuisine. Elle paraissait sur le point d'exploser. Phoebe revenait à San Francisco juste au moment où les choses reprenaient un cours normal. Elle avait fini par quitter Roger. Ça devenait compliqué de travailler avec lui au musée, mais son job lui plaisait beaucoup.

La jeune femme respira un grand coup. Il fallait absolument qu'elle se remette les idées en place.

Vêtue d'un T-shirt bleu et d'un pantalon de pyjama écossais, Phoebe, assise sur son lit, regardait distraitement la télévision. Elle pensait surtout à sa sœur aînée.

Elle n'en revenait pas que Prue lui ait gardé rancune depuis près de six mois. Elle était surtout peinée que Prue ne la croie pas. Mais c'était peut-être sa faute. *Après tout, j'aurais dû deviner que Roger cherchait à me séduire lorsqu'il m'a demandé de passer à*

*son appartement pour prendre un paquet des-
tiné à Prue.* Et c'était au moment où elle le
repoussait que Prue les avait surpris.

Roger était bel et bien un pauvre type. La
seule consolation de Phoebe, dans cette mal-
heureuse histoire, c'était que Roger avait
ainsi révélé son véritable visage.

Le problème était que Prue ne croyait que
ce qu'elle avait vu : Phoebe dans les bras de
Roger.

Phoebe secoua la tête pour chasser toutes
ces pensées. On frappa à la porte. Elle se
leva pour aller ouvrir.

Piper se tenait appuyée contre le cham-
branle, vêtue d'une chemise de nuit en coton
très courte et d'un kimono, prête à aller se
coucher.

— T'as faim ? demanda-t-elle en lui pro-
posant un sandwich et du thé glacé.

Elle entra dans la pièce.

— Je suis sûre que Prue va venir nous
voir, affirma-t-elle.

— Je ne pense pas. Pas cette fois. (Phoebe
mordit sans conviction dans son sandwich.)
Prue est vraiment en colère. J'aurais dû res-

26

ter à New York. Pourquoi ne lui as-tu pas dit que je revenais ?

— Pour qu'elle change les serrures ? Non… je plaisante. En fait, c'était plutôt à toi de le lui annoncer, pas vrai ?

— Tu marques un point. C'est juste qu'il est difficile de parler avec elle. Elle se comporte plus comme une mère que comme une sœur.

— Ce n'est pas sa faute. Elle a pratiquement sacrifié…

— … sa propre enfance pour nous élever, enchaîna Phoebe. Ouais, ouais, ouais…

— Hé ! n'oublie pas qu'elle s'occupait de tout. Elle nous a épargné bien des soucis. Pour toi comme pour moi, ç'a été plus facile.

— Bon, d'accord, mais j'ai maintenant vingt-deux ans. Je n'ai plus besoin qu'elle se comporte comme ça avec moi. J'aimerais qu'elle soit une véritable sœur. Et puis j'en ai marre de parler de Prue. Donne-moi plutôt de tes nouvelles. Quoi de neuf ? Comment va ta vie sentimentale ?

Piper sourit timidement.

— Ben, en fait… (Elle tripota nerveusement une mèche de cheveux.) C'est super !

— C'est vrai ? (Phoebe s'illumina.) Enfin, un sujet de conversation digne d'intérêt. Raconte-moi tout !

— Eh bien, je suis toujours avec Jeremy. Je t'ai déjà parlé de lui. Il est journaliste au *Chronicle* et il est adorable ! C'est le garçon le plus extraordinaire que j'aie jamais rencontré. Au début, je n'arrivais pas à croire qu'il s'intéressait à moi.

— Et pourquoi est-ce qu'il ne se serait pas intéressé à toi ? dit Phoebe. Quand l'as-tu connu ?

— Il y a environ six mois — juste avant la mort de Grams, précisa Piper. Nous nous sommes rencontrés à la cafétéria de l'hôpital le jour même où Grams y a été admise. Je mangeais un croissant et il m'a tendu une serviette en papier.

— Comme c'est romantique !

—Tu ne crois pas si bien dire. Son numéro de téléphone était inscrit dessus. Tu sais, Jeremy s'est toujours montré attentif lorsque Grams était malade. Il m'a toujours soutenue. (Le regard de Piper se perdit dans le vague.) Je crois qu'il pourrait bien être… enfin, tu comprends… il pourrait bien être le bon.

— Wouah! murmura Phoebe. C'est incroyable. Je suis si heureuse pour toi!

Elle s'approcha de sa sœur pour la prendre dans ses bras. Phoebe se sentait très proche de Piper. La voir si épanouie la réjouissait.

Piper fit brusquement un pas en arrière. Avec émotion, elle pointa son index vers l'écran de télévision.

— C'est lui! C'est Jeremy!

Phoebe monta le son. Une journaliste se trouvait sur le lieu d'un crime et décrivait l'horrible meurtre dont une femme venait d'être victime. Un grand type se tenait en arrière-plan, discutant avec des policiers.

— C'est Jeremy? Il est magnifique, s'extasia Phoebe.

— Il doit certainement travailler sur cette affaire, dit Piper.

« L'assassin choisit apparemment ses proies parmi des femmes faisant partie d'une sorte de secte, ajoutait la journaliste. Les trois victimes ont le même tatouage sous la clavicule. »

Trois anneaux entrelacés dans un cercle apparurent à l'écran.

— Tu étais au courant de cette histoire ? questionna Phoebe. Ça fait combien de temps que ce psychopathe court les rues ?

— Chhuuutt ! fit Piper en agitant la main.

« Le corps de la femme a été retrouvé à côté d'une sorte d'autel, continuait la journaliste. Nous devrions avoir bientôt de plus amples informations concernant cette secte. »

— Les gens sont de plus en plus bizarres à San Francisco, commenta Piper dès que le reportage fut terminé. On doit toujours se montrer vigilant — et encore plus maintenant que ce type a pété les plombs.

De petits coups frappés à la porte firent sursauter les deux sœurs. Phoebe se retourna et découvrit Prue sur le seuil, une couette dans les bras.

— Cette chambre a toujours été la plus froide de la maison, expliqua-t-elle.

Phoebe sentit brusquement l'atmosphère de la pièce changer. Prue n'entra pas dans la pièce.

— Merci, Prue, dit Phoebe sans un sourire.

Elle devait saisir cette opportunité pour tenter de se réconcilier avec sa sœur. Depuis sa plus tendre enfance, elle rêvait que sa grande sœur se confie à elle, que leurs relations deviennent harmonieuses.

Mais Prue ne prononça pas un mot. Elle tourna les talons, puis s'en alla.

Piper prit affectueusement le bras de Phoebe.

— Ne t'en fais pas pour elle. Prue a simplement besoin d'un peu de temps, tu comprends ?

Phoebe fronça les sourcils.

— J'ai une idée, annonça Piper.

— Encore une de tes idées géniales ? demanda Phoebe en soupirant.

— C'est une idée sensationnelle, en effet, insista Piper. Et je suis sûre qu'elle va te plaire. Viens.

Piper prit la main de Phoebe et l'entraîna dans l'escalier.

— Où allons-nous ?

— Dans le salon. J'ai une surprise pour toi. Je suis certaine que tu vas l'adorer.

Parvenue en bas, Phoebe se laissa tomber sur le canapé.

— Je reviens tout de suite, promit Piper.

Le regard de Phoebe fut attiré par une vieille photo encadrée posée sur la table. Elle se pencha pour la prendre. Elle représentait les trois sœurs, lorsqu'elles étaient petites filles, enlacées et souriantes.

Une vague de nostalgie submergea la jeune femme. Si seulement elles pouvaient retrouver un peu de cette harmonie ancienne !

— Regarde. Notre vieille planche aux esprits ! s'exclama Piper, de retour dans la pièce.

— Où l'as-tu trouvée ?

Phoebe prit l'objet des mains de Piper. Le simple fait de toucher le bois lisse la propulsa dans son enfance.

— Prue l'a retrouvée au sous-sol. Essayons-la. Juste pour nous amuser.

— Pourquoi pas? (Phoebe posa le jeu sur la table. Puis elle se leva et plaça des bougies autour de la planche.) Tu as des allumettes?

Piper ouvrit un tiroir et en sortit une boîte qu'elle lança à Phoebe.

— Je vais chercher Prue. Elle a peut-être envie de jouer, dit-elle en sortant rapidement du salon.

Phoebe alluma les bougies. *Juste pour l'ambiance*, se dit-elle en pouffant de rire.

Piper revint quelques instants plus tard.

— Prue est dans la cuisine en train de préparer du thé, dit-elle en s'asseyant sur le canapé. Elle n'a pas envie de jouer pour l'instant.

— Bon. Qu'est-ce qu'on va demander aux esprits?

— Huumm... Par exemple... ce qu'on va manger au petit déjeuner?

Piper éclata de rire.

— Pose au moins une vraie question!

Phoebe ferma les yeux pour se concentrer. Elle voulait savoir tellement de choses sur son avenir. Piper plaça la baguette au centre de la planche. Elles posèrent leurs doigts dessus.

— Est-ce que je vais trouver un bon job à San Francisco ? interrogea Phoebe.

Elle regarda Piper qui examinait la planche, sourit intérieurement, puis elle fit trembler la baguette.

— Ça marche ! s'écria-t-elle.

— C'est toi qui la fais bouger, protesta Piper. Tu as toujours eu l'habitude de faire ça.

— Ce n'est pas vrai, rétorqua Phoebe.

Puis elle déplaça à toute vitesse la baguette dans le coin de la planche où se trouvait inscrit le mot oui.

— Oui, elle a dit oui ! hurla-t-elle.

Piper lui enleva les doigts de la baguette.

— Phoebe, je sais que c'est toi. Je vais faire des pop-corn.

— Sur quoi tu veux que j'interroge les esprits pendant que tu es partie ?

Piper s'arrêta net.

— Demande-leur si Prue rencontrera quelqu'un cette année.

34

— Question très importante, acquiesça Phoebe. C'est peut-être à cause de la solitude qu'elle se montre grincheuse.

Elle se pencha de nouveau sur la planche.

— S'il te plaît, réponds oui, murmura-t-elle en touchant la baguette. Je t'en prie… réponds… réponds oui.

D'un seul coup, la baguette s'agita et s'arrêta sur la lettre A.

Phoebe en eut le souffle coupé et retira précipitamment ses mains de la planche comme si elle venait de se brûler. Que se passait-il ? Ce coup-ci, elle n'avait pas poussé la baguette. Elle l'avait à peine effleurée !

— Piper ! appela-t-elle, un peu effrayée.

La baguette fonça soudain sur la lettre T.

Ébahie, Phoebe ne la quittait pas des yeux. Personne ne la touchait. Elle se déplaçait toute seule.

Son cœur se mit à battre violemment.

— Piper, viens vite !

— Quoi ? demanda Piper, qui se précipita dans le salon.

— Qu'est-ce qui se passe ? s'enquit Prue qui entra derrière sa sœur.

— La baguette sur la planche aux esprits, murmura Phoebe. Elle... elle bouge toute seule. Je suis sérieuse : elle a épelé A-T.

— C'est parce que tu l'as dirigée, affirma Piper.

— Non, répliqua Phoebe. Pas cette fois-ci.

Prue posa les mains sur ses hanches.

— Je n'ai pas de temps à perdre avec ces bêtises.

Elle s'apprêtait à s'en aller, lorsque Phoebe cria pour la retenir :

— Prue, attends ! Mes doigts n'ont même pas touché la baguette. Je le jure ! Regarde-la, je t'en prie. Elle va bouger !

Phoebe suppliait en silence la baguette. Mais la baguette demeurait immobile.

— Phoebe, ce n'est pas drôle, déclara Prue. Ça ne me fait même pas sourire.

À peine Piper et Prue avaient-elles tourné le dos que la baguette se déplaça à toute vitesse vers le bas de la planche, pour se positionner de nouveau sur la lettre T.

— Ah ! ah ! cria Phoebe. Elle vient de recommencer ! Elle vient de bouger encore !

Prue s'avança lentement vers la planche aux esprits et la regarda en fronçant les sourcils.

— Phoebe, elle est toujours sur la lettre T.

— Je te jure qu'elle a changé de place! hurla Phoebe.

— Mais oui, mais oui, ironisa Prue en faisant demi-tour pour quitter la pièce.

Pétrifiée, Phoebe suivait des yeux la baguette qui glissait de nouveau sur le jeu. Elle fit un bond sur le canapé.

— Elle se déplace, venez voir!

Cette fois-ci, la baguette s'arrêta sur la lettre I.

— Tu as vu ça? demanda Phoebe à Piper.

— Je... je crois que oui, répondit Piper.

— Je te jure que je ne l'ai pas touchée, dit Phoebe. (Elle tendit la main vers la baguette qui bougeait encore.) Regarde!

À présent, elle désignait la lettre C.

Piper faillit s'étrangler.

— Hé! Prue, je pense que tu ferais bien de revenir.

Phoebe saisit une enveloppe et un stylo sur la table et reporta les lettres que la planche aux esprits avait désignées.

Prue pénétra dans la pièce comme une furie.

— Que se passe-t-il encore ?

— Je pense qu'elle cherche à nous dire quelque chose, répondit Phoebe.

La main tremblante, elle leur tendit l'enveloppe sur laquelle était noté le mot : « ATTIC [1] ».

1. *Attic* : grenier. *(N.d.T.)*

CHAPITRE 3

— Le grenier? s'étonna Prue. Phoebe, à quoi es-tu en train de jouer?

La gorge de Phoebe se serra. Elle ne savait comment expliquer à sa sœur que ce phénomène était bien réel! La planche aux esprits leur avait transmis un message!

Le tonnerre grondait alentour. Phoebe suffoquait. Les lampes clignotèrent, puis s'éteignirent. Les éclairs continuèrent à zébrer le ciel pendant un moment, diffusant une lueur inquiétante dans le salon. Lorsque l'orage se calma, la maison se trouva plongée dans l'obscurité: seules avaient résisté quelques-unes des bougies disposées autour du jeu.

Piper attrapa Prue par le bras.

— Phoebe a raison. J'ai vu la baguette bouger. J'ai peur.

Elle courut vers l'entrée pour prendre son imperméable.

— Je vais chez Jeremy. Vous venez avec moi ?

— Vous ne croyez pas que vous dépassez les bornes ? fit Prue en arrachant l'imperméable des mains de Piper.

— C'est vrai, admit Phoebe. Simplement, il vaudrait mieux faire un petit tour au grenier.

— Phoebe, t'es complètement folle ! s'écria Piper. On ne sait pas ce qu'on peut trouver là-haut. Le compteur a sauté ; et en plus il y a un tueur en cavale. Il faut se tirer d'ici !

— Ne t'inquiète pas, tenta de la rassurer Prue. Nous n'irons pas là-haut. Et il n'y a aucune raison de partir. Nous sommes en sécurité ici.

— Tais-toi ! s'exclama Piper en récupérant son imperméable. Dans les films d'horreur, la personne qui prononce ces paroles est toujours la prochaine victime.

— Écoute, pour l'instant, il pleut des cordes et Jeremy n'est sûrement pas encore arrivé chez lui.

— Bon, je… je l'attendrai dans le taxi jusqu'à ce qu'il rentre du travail, décida Piper.

Phoebe fouilla dans le tiroir de la table de l'entrée où elle trouva une lampe torche. Bien que terrorisée elle aussi, elle ne pouvait pas ignorer le fait que la planche aux esprits leur avait délivré un message. Poussée par la curiosité, elle décida de monter voir.

— Je vais au grenier, leur annonça-t-elle de but en blanc. Vous me suivez ?

Ses sœurs firent mine de ne pas avoir entendu la question.

Piper enfila lentement son imperméable.

— Prue, j'ai vu la baguette bouger.

— Mais non, répondit sa sœur. Tu as vu les doigts de Phoebe pousser la baguette. On ne trouvera rien d'intéressant là-haut. Elle se moque de nous !

Phoebe, amère, remercia intérieurement Prue de la confiance qu'elle lui témoignait.

Piper secoua la tête.

— On n'en sait rien. Ça fait des mois que l'on vit dans cette maison, et on n'y a jamais mis les pieds.

— Piper est en train de péter les plombs. S'il te plaît, dis-lui que tout ceci n'est qu'une plaisanterie, l'adjura Prue en se tournant vers Phoebe.

Celle-ci fit un signe de la tête.

— Je sais que c'est difficile à avaler, mais la baguette s'est déplacée toute seule. Pourquoi est-ce que je mentirais ?

Piper traversa rapidement l'entrée et décrocha le combiné du téléphone.

— Ah, bravo ! En plus le téléphone ne marche plus !

— Normal, avec ce temps-là, lui rappela Prue. La foudre est peut-être tombée sur les fils. Allons voir dehors, tu m'éclaireras avec la lampe, pendant que j'inspecterai la ligne.

— C'est hors de question. Phoebe n'a qu'à t'y accompagner, lâcha Piper. D'accord, Phoebe ?

— Non, je vais dans le grenier, répondit Phoebe en brandissant la torche.

— Pas question, répondit vivement Prue. On reste...

42

— *Tu* fais ce que tu veux, mais moi, j'y vais tout de suite.

Phoebe alluma la lampe et gravit lentement l'escalier. Marche après marche, elle devenait de plus en plus nerveuse. Si incroyable que cela pût paraître, elle avait la certitude qu'un esprit venait de lui envoyer un message. Mais de quelle sorte d'esprit s'agissait-il? Et qu'allait-elle trouver dans le grenier?

Elle s'arrêta un instant sur le palier pour diriger sa torche vers la porte du grenier. Elle était au pied du mur. Dire qu'elle avait vécu dans cette maison pendant des années, sans jamais monter jusqu'à cet endroit...

Phoebe posa délicatement la main sur la poignée de la porte, appuya, mais sans résultat. Elle réessaya : en vain. C'était fermé à clé. Autant attendre le lendemain et faire appel à un serrurier.

Déçue, elle s'apprêtait à redescendre, lorsqu'un grincement la stoppa net. Son sang se figea dans ses veines. Elle se retourna lentement et vit la porte s'ouvrir comme par enchantement.

Après quelques secondes d'hésitation, elle avança dans la pièce sombre afin d'en scruter l'intérieur.

— Hello?... Y a-t-il quelqu'un?

Sa voix n'était qu'un murmure.

Aucune réponse ne lui parvint. Elle balaya de sa torche tous les recoins du grenier; elle n'y aperçut qu'une vieille chaise jaune, un bahut, deux ou trois lampes, des vêtements... aucun signe indiquant la présence d'un tueur fou. Elle ne risquait donc rien à y pénétrer.

— Hello? répéta-t-elle... Y a quelqu'un?

Un bruit mat résonna au-dessus d'elle. Les battements de son cœur s'accélérèrent. Elle braqua sa torche sur la charpente.

Rien. Juste le bruit de la pluie qui rebondissait sur la lucarne.

Phoebe aperçut une vieille malle, à l'écart des autres affaires qui encombraient le grenier. Elle se sentit aussitôt attirée par le coffre. Elle traversa la pièce et fixa le couvercle aux motifs finement ouvragés.

Que pouvait-il contenir?

Elle posa sa torche sur une étagère avant de s'agenouiller devant la malle. Puis elle en souleva délicatement le couvercle dont les gonds crissèrent.

Le coffre ne contenait à peu près rien, à part un gros livre.

Phoebe souleva avec précaution l'ouvrage recouvert de poussière et de toiles d'araignées, referma doucement le couvercle, reprit sa lampe et s'assit pour examiner sa découverte.

Le volume, relié en cuir marron, paraissait ancien. Phoebe le nettoya d'un revers de la main, faisant apparaître un symbole étrange sur la couverture — trois anneaux entrelacés dans un cercle.

Elle éprouva un choc en découvrant ce dessin. La femme assassinée, qu'elle avait vue aux informations du soir, portait exactement le même, tatoué sous la clavicule !

Phoebe ouvrit le livre pour en lire le titre. *Le Livre des Ombres*. Elle frissonna. De quoi pouvait-il bien s'agir ? Elle dirigea sa lampe sur la page de garde calligraphiée. Les lettres L et O étaient enluminées comme dans les manuscrits du Moyen Âge.

Ce *Livre des Ombres* troublait Phoebe. Au dos de la planche aux esprits sa mère avait écrit : « Que cet objet vous donne la Lumière pour atteindre les Ténèbres. » C'était donc la planche qui l'avait dirigée jusque-là.

Ce livre avait-il appartenu à sa mère ? Phoebe le ferma pour examiner de nouveau le symbole gravé sur la couverture. Quel rapport pouvait-il exister entre sa mère et ces femmes assassinées ? Phoebe soupira. Sa mère avait-elle fait partie d'une secte ?

En feuilletant rapidement l'ouvrage, elle découvrit une gravure représentant trois femmes qui dormaient. Avec leurs vêtements et le décor, ce dessin rappelait l'époque médiévale.

Plus loin, elle en découvrit une autre, qui mettait également en scène trois femmes, se battant contre d'horribles créatures. L'illustration suivante les représentait rassemblées au milieu d'un cercle dans lequel elles dansaient et chantaient.

Phoebe pensa à une assemblée de sorcières. Ces femmes jetaient-elles des sorts ? *Le Livre des Ombres* était-il un grimoire ?

Ce livre avait en tout cas un rapport avec sa mère et elle se devait de découvrir de quoi il s'agissait. Il semblait détenir une puissance qui l'attirait irrésistiblement et elle se sentait liée à lui.

En l'ouvrant de nouveau au hasard, elle tomba sur une enluminure torsadée. Sur la page d'en face, un texte était composé de lettres peintes à la main, rehaussées de feuilles d'or.

Phoebe se mit à le lire lentement à haute voix.

— « Écoute les mots des sorcières. Les secrets que nous cachons dans la nuit. »

Un éclair zébra le ciel, suivi d'un roulement de tonnerre.

Phoebe sursauta et laissa échapper le livre. Était-il possible que la lecture de ces deux phrases ait déclenché ce phénomène ? Elle s'efforça de chasser de son esprit cette idée saugrenue.

Elle ramassa le livre et en continua la lecture.

— « Les Dieux les plus anciens sont ici invoqués. »

Un nouvel éclair déchira le ciel et Phoebe entendit un craquement à l'extérieur de la maison, peut-être une branche frappée par la foudre qui s'était abattue sur le sol.

Puis elle vit une étrange lueur, au milieu de la pièce.

Phoebe faisait tout son possible pour maîtriser le tremblement de ses mains. Ce livre avait appartenu à sa mère. Elle n'aurait jamais pu commettre le mal, et jeter des sorts. En tout cas, la jeune fille s'efforçait de s'en convaincre. En même temps, elle ne pouvait détacher son regard de cette lumière.

Il fallait qu'elle sache si la lecture du *Livre des Ombres* avait provoqué tous ces phénomènes !

Elle reprit son souffle et, avec émotion, poursuivit sa lecture.

— « Cette nuit et à cette heure, je vais faire appel au Pouvoir Ancien. »

Un courant d'air traversa la pièce et raviva l'intensité de la lueur.

— « Apportez vos pouvoirs aux trois sœurs, psalmodiait-elle d'une voix tremblante. Nous voulons le pouvoir. Donnez-nous… le pouvoir ! »

Dès que Phoebe eut prononcé ces paroles, un vent violent balaya le grenier, tourbillonnant autour d'elle et de la table. Des étincelles scintillaient dans la tornade, tel un feu d'artifice.

Les cheveux de Phoebe s'enroulaient autour de son visage. Malgré tout, elle se sentait parfaitement calme et sereine, ayant cessé de trembler. Son corps paraissait curieusement détendu, tranquille. Mais, dans sa tête, les pensées se bousculaient.

Elle baissa les yeux et regarda le livre posé sur ses genoux.

— C'est un ouvrage de sorcellerie, murmura-t-elle. Je l'ai lu à haute voix, et j'ai réveillé une force obscure. Peut-être quelque chose de terrible.

Comme hypnotisée, Phoebe gardait les yeux fixés sur les pages du livre qui défilaient de plus en plus vite sous l'effet du vent.

CHAPITRE 4

Prue se munit d'une lampe et prit Piper par la main.

— Ça fait un sacré moment que Phoebe est là-haut, dit-elle. Je suis inquiète.

Dans l'escalier, le mouvement des ombres créé par le faisceau de lumière semblait donner vie aux portraits accrochés au mur.

— D'abord, tu veux me faire aller dehors, et maintenant tu m'entraînes dans le grenier, grogna Piper. Il y a un ouragan, l'électricité est coupée, le téléphone ne marche plus... Tout ça me donne la chair de poule.

Prue serra un peu plus fort la main de Piper tout en continuant à monter les marches.

— Allez… C'est juste pour voir si Phoebe va bien.

Une fois parvenue au palier, elle braqua sa torche vers la porte du grenier.

— Regarde, s'étrangla Prue, la porte est ouverte !

Elle s'avança en dirigeant le faisceau lumineux dans tous les sens. Tout semblait tranquille et calme. Phoebe était assise sur un vieux coffre, un livre ouvert posé sur les genoux.

— Qu'est-ce que tu fabriques ? s'enquit Prue.

Phoebe leva lentement les yeux, comme si elle était dans un état second.

— Je… je… je lis… une incantation, bégaya-t-elle.

Elle ferma le grimoire et le tendit à Prue.

— Voilà *Le Livre des Ombres*, expliqua-t-elle. Je l'ai trouvé dans cette malle.

— Laisse-moi voir ça, dit Prue en s'en emparant.

Elle détailla la couverture avec attention. Puis elle ouvrit le livre pour le feuilleter.

— Phoebe, comment es-tu rentrée ici ? interrogea Piper.

— La porte... elle s'est ouverte... toute seule.

Prue lança un regard à sa sœur. Phoebe se comportait d'une façon très étrange, mais elle ne parvenait pas à déterminer ce qui avait provoqué ce changement.

— Attends une minute, dit Piper avec une certaine nervosité. Tu as dit que tu lisais des incantations, mais de quoi s'agit-il ?

Prue, concentrée sur le livre, écoutait sa sœur d'une oreille distraite.

— Ça a un rapport avec nous. Le fait que nous soyons trois... nous conférerait certains pouvoirs magiques, expliqua lentement Phoebe, comme en état de transe.

D'accord, j'ai compris, pensa Prue. *Phoebe a vraiment pété les plombs.*

— De quoi tu parles ? demanda Piper.

— Nous devons nous préparer à recevoir nos pouvoirs, répondit Phoebe, les yeux dans le vague.

— Quels pouvoirs ? s'énerva Piper. (Elle était au bord de la crise de nerfs.) Et qu'est-ce que je viens faire là-dedans ?

Prue repéra rapidement au début du livre l'incantation à laquelle Phoebe faisait allusion. L'émotion l'étrangla en la lisant. Phoebe lui avait toujours paru un peu excentrique, mais elle n'imaginait pas qu'elle se laisserait prendre par une histoire pareille.

— C'est bien de nous trois qu'il s'agit, intervint Prue, et elle commença à lire l'extrait du *Livre des Ombres* : « Apportez vos pouvoirs aux trois sœurs. » C'est un ouvrage de sorcellerie.

— Je peux tout vous expliquer, avança Phoebe. Enfin, je crois…

— Ça a commencé par la danse du ventre, la coupa Prue. Ensuite tu t'es fait percer le nombril. Et maintenant tu te prends pour une sorcière ? Arrête de te moquer de nous !

Et elle sortit du grenier, ne voulant plus écouter les élucubrations de sa sœur.

— La planche aux esprits ! criait Prue en descendant l'escalier. Un livre de sorcellerie ! Tous ces trucs de dingues depuis ton retour !

— C'est pas moi qui ai retrouvé la planche aux esprits ! s'exclama Phoebe en sortant brusquement de son hébétude. C'est toi.

— Mais ce ne sont pas mes doigts qui ont poussé la baguette, rétorqua Prue.

— Ça n'a aucune importance, intervint Piper, parce que, en fait, il ne s'est rien passé. Pas vrai, Phoebe ?

Phoebe haussa les épaules.

Prue ne croyait pas à ces histoires de sorcellerie et elle espérait que sa sœur n'allait pas s'intéresser à la magie noire uniquement parce qu'elle avait trouvé ce livre idiot dans le grenier. Grams avait dû le dénicher dans une brocante…

Arrivée au rez-de-chaussée, Prue entreprit d'inspecter la maison dans ses moindres recoins. Soulagée, elle constata que rien n'avait changé.

—Tout semble être en place, conclut Piper, qui venait de s'arrêter au pied de l'escalier.

Tout à coup, les ampoules du vieux lustre du salon se mirent à clignoter, puis la pièce s'éclaira.

— Hé ! la lumière est revenue ! se réjouit Piper.

La bouche grande ouverte, Prue contemplait le plafonnier. Comment était-ce possible ?

— Tu étais bien en train de le réparer ce matin ? demanda Piper.

— J'ai… j'ai simplement touché quelques fils, rien de plus, balbutia Prue. Je ne comprends pas ce qui s'est passé.

Piper prit sa sœur dans ses bras.

— Peut-être, je dis bien peut-être, était-ce…

— Laisse-moi reprendre mes esprits, lui ordonna Prue d'un ton sec. Il n'y a rien de magique là-dedans, c'était juste un faux contact. Dans moins d'une minute, la lumière va s'éteindre.

Enfin, c'est ce qu'elle espérait. Elle aimait trouver des interprétations logiques à toute chose, et le fait que le lustre se mette à fonctionner après plusieurs mois de panne ne pouvait s'expliquer autrement.

Piper haussa les épaules.

— C'est comme tu veux, Prue. Comme tu veux.

De retour dans son lit, Phoebe ferma les yeux, espérant trouver le sommeil. Mais *Le Livre des Ombres* l'obsédait.

Elle essaya vainement de penser à autre chose, mais, dès qu'elle fermait les yeux, l'image de la couverture marquée de l'étrange symbole lui apparaissait.

Phoebe comprit qu'elle ne pourrait trouver le repos tant qu'elle ne l'aurait pas lu. Elle rejeta sa couette, sortit du lit et attrapa la torche rangée dans sa table de nuit.

La porte du grenier était toujours ouverte. Avant de pénétrer dans la pièce, elle y jeta un coup d'œil.

Tout semblait normal.

Phoebe se dirigea vers un pupitre poussiéreux, sur lequel trônait *Le Livre des Ombres*. Prue avait dû l'y déposer après en avoir lu un passage. Elle prit l'ouvrage avec délicatesse, puis s'assit dans un vieux fauteuil rembourré.

En y repensant, il était évident que rien de ce qui s'était passé ce soir-là n'était une coïncidence. Son retour à la maison ainsi que la découverte du livre étaient bien des signes du destin.

Phoebe ouvrit le grimoire au hasard et tomba en arrêt sur une page dont le titre la frappa : « Le Procès de Melinda Warren. »

Melinda Warren ! Phoebe n'en revenait pas. C'était le nom d'une de leurs ancêtres.

Grams citait son nom chaque fois qu'elle évoquait l'histoire de ses aïeux.

Melinda Warren avait été le premier membre de la lignée à s'installer en Amérique. D'après Grams, elle avait quitté l'Angleterre pour immigrer dans le Massachusetts au XVIIe siècle, victime de persécutions religieuses.

Phoebe était curieuse de savoir s'il s'agissait de l'histoire de « leur » Melinda Warren. En retenant sa respiration, elle commença sa lecture :

Melinda Warren, accompagnée de Cassandra, sa fille âgée de deux ans, quitta l'Angleterre pour arriver en Amérique en 1654. Les familles Grant, Morgan et Marston font partie de sa descendance.

Le cœur de Phoebe se mit à battre la chamade. Marston, le nom de jeune fille de sa mère !

Melinda Warren fut jugée et condamnée pour ses activités de sorcière, après que son amant, Hugh Montgomery, l'eut dénoncée aux autori-

tés. En effet, Melinda possédait trois pouvoirs : la capacité de faire se mouvoir des objets uniquement grâce à l'énergie tirée de son esprit, le don de prémonition et la faculté d'arrêter le temps.

Nom d'un chien ! Grams ne leur avait jamais parlé de tout ça.

Phoebe reprit sa lecture, elle devait aller jusqu'au bout.

À l'issue d'une parodie de justice, les habitants de la ville la traînèrent vers un bûcher dressé sur la place du village. Voici ce qu'elle déclara :

« Vous pouvez me tuer, mais vous ne pourrez détruire mon espèce. De génération en génération, les sorcières Warren acquerront un pouvoir de plus en plus grand — jusqu'au jour où trois sœurs naîtront. Ensemble, elles détiendront un immense pouvoir et deviendront les sorcières les plus puissantes que le monde ait jamais connues. Elles s'appelleront les Charmed [1]. »

1. *Charmed* : les Ensorceleuses. *(N.d.T.)*

Le bourreau mit ensuite le feu à la paille dis-posée aux pieds de Melinda. Elle mourut dans d'atroces souffrances — mais ses pouvoirs vivent toujours dans le cœur de toutes les sorcières Warren. La naissance des Charmed *sera un jour de liesse.*

Phoebe déposa le livre ouvert sur ses genoux. Elle s'efforça de recouvrer une respiration régulière. Ce qu'elle venait de lire lui faisait l'effet d'un coup de massue.

Trois sœurs... descendantes de Melinda Warren...

La jeune fille se rappela l'incantation qu'elle avait psalmodiée plus tôt dans la soirée. « Apportez vos pouvoirs aux trois sœurs. »

— Non, ce n'est pas possible. (Phoebe se prit la tête dans les mains.) Cela voudrait dire... cela voudrait dire que nous sommes des sorcières !

Brusquement, les pages du *Livre des Ombres* se mirent à tourner toutes seules.

Une odeur de bois brûlé, mêlée à d'autres effluves, envahit la pièce. Comprenant qu'il s'agissait de chair brûlée, Phoebe eut un haut-le-cœur et faillit vomir.

Elle n'avait qu'une seule envie : fuir, mais elle en était incapable. Elle se sentait des jambes de plomb, son corps lui semblait être rivé au fauteuil.

Le grenier fut illuminé par une violente lumière surgie de nulle part. Phoebe mit ses mains devant ses yeux. L'odeur de chair brûlée devenait de plus en plus tenace, et elle eut un nouveau haut-le-cœur. La lumière s'atténuant, elle retira ses mains : le souffle coupé, elle découvrit l'horrible vision qui se trouvait devant elle.

Au milieu de la pièce, une silhouette carbonisée flottait à quelques centimètres du sol. Prise de tremblements, Phoebe regardait les lambeaux de la robe charbonneuse, les bras noircis qui s'écartaient... et se rapprochaient d'elle. La bouche de la créature s'ouvrit, découvrant des dents couleur d'ébène.

— Tu m'as appelée, grogna l'être tiré du néant. Tu m'as appelée pour vos pouvoirs...

CHAPITRE 5

Phoebe tenta vainement de se relever. Une force surnaturelle semblait l'immobiliser sur son siège. Elle ferma les yeux.

— C'est pas vrai ! hurlait-elle. Je vous en supplie, dites-moi que ce n'est pas vrai !

Lorsqu'elle réussit à ouvrir les yeux, la créature planait devant elle.

— Tu m'as appelée, lui répétait-elle d'une voix grinçante.

— Non ! hurlait désespérément Phoebe. Barre-toi !

— Tu m'as appelée pour vos pouvoirs, insista la silhouette fantomatique. Les trois sœurs possèdent d'immenses pouvoirs et elles vont devenir les sorcières les plus puissantes que le monde ait jamais connues. Vous êtes les *Charmed*.

— Qui… mais… qui êtes-vous ? bégaya Phoebe.

Enveloppée d'un halo rougeoyant, la silhouette se rapprocha encore de Phoebe.

— Je fais partie de toi et tu fais partie de moi. Je m'appelle Melinda Warren.

Les tempes de Phoebe se mirent à battre violemment. Avait-elle véritablement en face d'elle le fantôme de Melinda Warren ?

— Toi et tes sœurs, vous êtes les *Charmed*, lui répéta l'esprit. Les trois sœurs possèdent la puissance du Bien, un pouvoir beaucoup plus considérable que celui d'aucune autre sorcière. Au début, il sera fragile, mais il se développera rapidement. Souviens-toi d'une chose : le plus important est que vous travailliez ensemble. C'est l'association de vos trois pouvoirs qui fait que vous êtes les *Charmed*. Tu comprends ce que je te dis ?

Immobile, Phoebe referma lentement les yeux, pour éloigner ce qui n'était pour elle qu'un mauvais rêve.

— Réponds-moi ! ordonna le fantôme.

Phoebe souleva les paupières.

— Oui, je... je... comprends.

— C'est parfait. Maintenant, fais bien attention, ajouta l'esprit. Malgré votre pouvoir exceptionnel, vous êtes en grand danger. Vous devez rester sur vos gardes.

— Mais... pourquoi? murmura Phoebe.

— À cause des démons. Ils vont tout tenter pour anéantir vos pouvoirs. Et la seule façon de les en empêcher... (Le fantôme de Melinda grimaça)... c'est de les tuer.

Phoebe ne pouvait pas refréner son tremblement.

— Les démons vont arriver. Plusieurs sorcières ont déjà été tuées.

Melinda effectua un mouvement du bras et un nuage de fumée apparut. Une silhouette se dessina dans la vapeur grise. Incrédule, Phoebe observa la scène qui se présentait à elle.

Un homme de grande taille, portant une cagoule, était penché sur le corps d'une belle femme blonde.

En second plan, des bougies illuminaient un autel.

Tout autour, les tapis, les fenêtres, les murs étaient couverts de sang...

L'homme tenait un couteau à double lame, au manche ciselé.

— Non!

Phoebe mit la main devant sa bouche pour tenter d'étouffer un hurlement d'horreur. Incapable d'en voir davantage, elle détourna le regard.

L'image et la fumée devinrent de plus en plus floues. Puis elles s'évanouirent.

Phoebe tremblait de tout son corps. Elle savait ce que cette apparition signifiait : l'assassin dont parlait la télévision était un tueur de sorcières — il allait s'en prendre à Phoebe ainsi qu'à ses sœurs, et c'était sa faute.

— Je n'aurais jamais dû lire cette incantation! (Phoebe pleurait.) Je ne veux pas de ce pouvoir! Reprenez-le, je vous en supplie!

Melinda fronça les sourcils.

— C'est ton destin, c'est aussi celui de tes sœurs! Aucune de vous trois ne peut y échapper! Vous êtes les *Charmed*. Vous devez protéger les innocents des forces du Mal.

Phoebe respirait de façon saccadée.

— Mais comment? Je vous en supplie, aidez-moi! Comment peut-on combattre un démon? Je ne sais d'ailleurs même pas ce qu'est un démon!

Une brise glaciale souffla dans le grenier, tandis que Melinda Warren s'estompait lentement.

— Attendez! hurla Phoebe. Je ne sais pas quoi faire! Je ne sais pas comment utiliser mon pouvoir! Je ne comprends rien du tout à ce qui m'arrive!

— Je ne peux pas rester plus longtemps, dit Melinda.

— Mais qu'allons-nous faire? implora Phoebe.

— *Le Livre des Ombres* vous servira de guide, répondit le fantôme. N'oublie jamais… Le pouvoir des trois vous libérera… Le pouvoir des trois vous libérera…

Phoebe s'efforçait de comprendre ce qui venait de se passer, mais les idées se bousculaient dans sa tête. Elle baissa les yeux sur *Le Livre des Ombres*.

Elle se demandait quelle était la part de vérité dans toute cette histoire. Étaient-elles vraiment des sorcières ? Étaient-elles réellement les *Charmed* ?

Des mots commencèrent à apparaître en bas de la page, comme si une main invisible les écrivait. Phoebe les déchiffrait les uns après les autres au fur et à mesure qu'ils apparaissaient sur le papier :

« Le pouvoir des trois vous libérera. »

— C'est vrai. (Phoebe reprenait son souffle.) Tout cela est réel. Tout ce qu'a dit Melinda est exact. Aussi bizarre que cela puisse paraître, nous sommes des sorcières. Prue, Piper et moi… nous sommes les *Charmed*.

Phoebe soupira en pensant à ce qu'elle allait devoir affronter. Comment devait-elle s'y prendre pour expliquer à ses sœurs ce qui venait de lui arriver ? Ce ne serait pas une mince affaire.

CHAPITRE 6

Le lendemain matin, quand Prue descendit dans la cuisine pour se faire un café, elle eut la surprise d'y trouver Phoebe, assise à la table, l'étrange grimoire ouvert devant elle.

— Salut, Phoebe. Ça va ? Tu as la tête de quelqu'un qui n'a pas fermé l'œil de la nuit.

Phoebe leva les yeux de son livre.

— Prue, il faut que je te parle. C'est important.

Prue remplit une bouilloire d'eau qu'elle mit à chauffer sur la cuisinière.

— Quelque chose ne va pas ? Tu es malade ?

Phoebe fit non de la tête.

— Ça n'a rien à voir avec ma santé, répondit-elle. C'est à propos de nos pouvoirs.

Prue sentit une bouffée de chaleur lui monter au visage.

— Nos pouvoirs ? Tu en es encore à ces âneries ?

Phoebe pointa un doigt vers *Le Livre des Ombres*.

— Tout est là-dedans. Il y est écrit qu'une fois que nos pouvoirs se seront réveillés, nous...

— Écoute, Phoebe, je n'ai pas de temps à perdre à écouter tes sornettes.

Elle éteignit le feu sous la bouilloire et prit son sac à dos.

— J'espère que tu vas très vite arrêter de délirer.

Elle sortit de la cuisine et se dirigea vers la porte d'entrée qu'elle referma derrière elle en la claquant bien fort.

— Des pouvoirs ! répéta-t-elle à haute voix.

Phoebe est vraiment tordue, se dit Prue en montant dans sa voiture. Plus rien ne serait normal maintenant qu'elle était revenue à la maison.

Elle mit le contact et prit la direction du musée où elle occupait la fonction de conservatrice spécialisée en objets anciens.

Elle tourna au coin de la rue pour s'arrêter chez *Dina*, le bar le plus proche. Elle avait vraiment besoin de boire immédiatement un café bien fort.

Prue avala son café d'une traite et le régla. En se retournant pour sortir, elle bouscula l'homme qui se trouvait derrière elle. Il fit un écart tandis que le café se renversait sur le sol.

— Je suis désolée, s'excusa Prue, sans même le regarder.

Elle attrapa vivement quelques serviettes en papier pour essuyer le café répandu. Le client se mit à genoux pour l'aider.

— Non, non, c'est ma faute, lui dit-il.

Prue connaissait cette voix profonde, enrouée, ce ton assuré. Elle leva enfin les yeux et croisa un regard brun perçant, respirant l'intelligence.

— Andy ?

L'homme lui sourit.

— Prue ?

Elle se releva lentement. C'était bien lui. Andy Trudeau, son petit copain de lycée, qu'elle n'avait pas vu depuis une éternité.

— Ça alors ! dit Andy. Comment vas-tu ?

— Bien. Et toi ?

— Ça roule. Qu'est-ce que tu fais là ?

Andy semblait vraiment content, et Prue devait admettre qu'elle aussi était heureuse de le voir.

— Je vais travailler. Et toi, qu'est-ce que tu fais dans ce quartier, Andy ?

— J'enquête sur un meurtre qui s'est produit à l'angle de la rue, répondit-il. Tu as le temps de t'asseoir une minute ? Laisse-moi t'offrir un autre café.

— Avec plaisir, acquiesça-t-elle, rougissante.

Andy passa la commande, puis ils s'installèrent à une table près de la porte vitrée.

— Alors, comme ça, tu es flic ?

— Appelle-moi simplement inspecteur Trudeau, plaisanta Andy. Tu n'arrives pas à le croire, hein ? Plutôt vieux jeu, comme titre !

— Ah… je trouve qu'inspecteur, ça sonne bien.

— En fait, moi aussi, admit Andy.

— Ton père doit être fier, continua Prue.

Andy était le dernier d'une longue lignée de policiers.

— Troisième génération ! Alors, tu peux imaginer s'il est heureux. Et toi ? Tu as mis le monde à tes pieds, comme tu le désirais ?

— Non, pas encore. Je suis retournée vivre dans la maison de Grams. Et il y a un peu de tension dans le boulot pour l'instant.

Elle sentait le regard d'Andy posé sur elle tandis qu'elle buvait son café. Une fois encore, elle rougit.

— Je… je croyais que tu habitais Portland, reprit-elle, ne sachant que dire.

— Oui, mais je suis revenu.

Après un long silence, il la fixa droit dans les yeux.

— Prue, je suis vraiment heureux de te revoir.

Il ne l'avait pas oubliée, se réjouit Prue. Elle n'aurait rien contre le fait de reprendre une relation avec lui.

Après le lycée, Andy avait souhaité que Prue et lui continuent leurs études dans une université de l'Oregon, mais elle s'était inscrite à Los Angeles en pensant qu'ils pouvaient poursuivre leur relation malgré la distance. Lui pas. L'affaire avait vite été classée.

Prue n'avait jamais oublié ce premier amour. Et apparemment, lui non plus.

— Tu vois toujours Roger ? demanda-t-il brusquement.

— Comment es-tu au courant ? répliqua-t-elle d'un air surpris. Tu m'espionnes ?

Elle se sentait à la fois choquée et intriguée.

— Je ne dirais pas exactement ça. Les esprits curieux cherchent à tout savoir, n'est-ce pas ?

Prue éclata de rire en remarquant l'air penaud d'Andy.

— Tu vois que tu m'espionnes !

— Bon, c'est vrai, mais n'oublie pas que je suis flic. (Andy tournait nerveusement sa cuillère dans sa tasse.) Alors, vous êtes toujours ensemble ?

— Non. Ça fait un moment qu'on est séparés.

Sur le point d'ajouter quelque chose, Andy ouvrit la bouche, puis, finalement, se ravisa.

— Qu'est-ce que tu allais dire? lui demanda Prue.

— C'est vraiment étrange que je tombe sur toi aujourd'hui.

— Pourquoi? le questionna-t-elle, intriguée.

— Parce que je pensais beaucoup à toi ces derniers temps, lui confia-t-il en baissant les yeux. Enfin, je veux dire, plus que d'habitude.

Il releva la tête pour la regarder avec attention.

— Surtout lorsque j'ai appris le décès de Grams. C'était une femme merveilleuse. J'aimais parler avec elle lorsque j'allais te chercher dans sa vieille maison.

Prue jeta un coup d'œil à sa montre. Zut! Neuf heures moins dix. Elle ne s'était pas rendu compte que le temps avait passé si vite.

— Il faut que j'y aille, lui dit-elle.

— Oui, moi aussi, répondit Andy.

Ils se levèrent et quittèrent le café. Ils s'attardèrent quelques instants devant l'établissement.

Prue avait la sensation qu'Andy n'arrivait pas à lui dire au revoir.

— Dis donc, tu as toujours le même numéro de téléphone? s'enquit-il enfin.

Prue réprima un sourire. Elle trouva un stylo ainsi qu'un bout de papier au fond de son sac et y nota ses coordonnées. Le simple fait de les lui donner ne voulait pas dire qu'ils allaient sortir de nouveau ensemble.

— Tiens, voilà.

— Je t'appellerai bientôt, dit Andy, en glissant le papier dans la poche de sa veste.

— Super!

Prue l'embrassa sur la joue et se dirigea vers le musée. Elle était tout excitée. Jamais elle n'avait réalisé à quel point Andy lui avait manqué.

— Impeccable, dit Piper en coupant un peu de romarin dans le jardin, puis quelques brins de basilic.

Ces herbes lui seraient utiles pour passer son test chez *Quake* l'après-midi même.

Sa petite récolte terminée, Piper repartit vers la maison. Vêtue d'un cycliste, Phoebe était assise sur l'une des marches du perron. Une tasse de café à la main, elle lisait le journal. Elle semblait fatiguée, mais essayait de faire bonne figure.

— Tu t'es levée tôt, lui dit Piper.

— Je ne me suis pas couchée.

— Qu'est-ce que t'as fait toute la nuit ?

— J'ai lu. J'ai lu *Le Livre des Ombres*. (Elle s'arrêta un instant.) D'après ce livre, une de nos ancêtres était… une sorcière. Elle s'appelait Melinda Warren.

Piper fit des yeux ronds. Elle n'avait jamais cru en l'existence des sorcières. Elle s'assit tout contre Phoebe pour lui murmurer :

— Et nous avons un cousin alcoolique, une tante maniaque et un père invisible.

— Je suis sérieuse, insista Phoebe. Melinda Warren possédait des pouvoirs. *Trois* pouvoirs. Elle pouvait déplacer les objets à distance, prévoir l'avenir et arrêter le temps. Avant d'être brûlée en place publique, elle déclara que chaque génération de Warren comprendrait des sorcières qui auraient un pouvoir de plus en plus puissant… jusqu'à l'arrivée de trois sœurs.

— De trois sœurs ? répéta Piper.

— Ces sœurs posséderaient le pouvoir le plus puissant qui existe au monde. Ce sont de bonnes sorcières et…

— Laisse-moi deviner. Si je comprends bien ce que tu essaies de dire, il pourrait s'agir de nous. Mais enfin, Phoebe, c'est complètement dingue !

— Attends, Piper. Ce n'est pas tout, continua sa sœur. J'étais en train de lire un article à propos de la dernière femme assassinée par ce fou furieux. Elle avait le même tatouage que les autres victimes et ce symbole se trouve sur la couverture du *Livre des Ombres* !

Elle lui montra la photo du journal : trois anneaux entrelacés dans un cercle.

— Tu piges ?

Piper examina le cliché. Phoebe avait raison.

— Et alors ? C'est sans doute un vieux symbole celte. Il doit y avoir tout un tas de gens qui portent ce genre de tatouage. Un truc branché…

— Piper, ces femmes étaient des sorcières, j'en suis persuadée. Je pense qu'elles avaient des pouvoirs, les mêmes que ceux que possédait Melinda Warren… et un démon a voulu les leur voler. Et ce sont des pouvoirs que nous possédons également.

— Phoebe, comment pourrions-nous être des sorcières ? lui demanda-t-elle gentiment. Nous ne possédons aucun pouvoir. Du moins, pas à ma connaissance.

— Nous sommes ses prochaines victimes. Il va falloir que l'on s'y prépare.

Piper frissonna. Dire que ce tueur rôdait dans les environs ! Il fallait qu'elle chasse cette idée de sa tête et qu'elle se concentre sur l'entretien de l'après-midi.

— Phoebe, écoute-moi. Nous ne sommes pas des sorcières, tu m'entends ? Nous ne possédons aucun pouvoir spécial. De plus, Grams n'était pas une sorcière et, autant que je sache, maman non plus.

Phoebe ouvrit la bouche pour protester, mais Piper ne lui laissa pas le temps de parler.

— Laisse-moi finir. Nous ne sommes pas tatouées et nous n'avons aucune raison de l'être. Tu me suis ?

Phoebe fit oui d'un signe de la tête.

— Donc, personne ne va s'attaquer à nous, conclut Piper.

— Prue ne me croit pas non plus, déclara Phoebe en secouant la tête.

— Au fait, où est-elle ? s'enquit Piper.

— Elle est partie bosser de bonne heure.

Au même instant, le regard de Phoebe fut attiré par une Mustang rouge décapotable qui s'arrêtait devant la maison.

— Wouaouhh ! Sacrée bagnole, commenta-t-elle, le souffle coupé.

— C'est Jeremy, dit Piper. Tu vas enfin faire sa connaissance !

Elle sourit en voyant son petit ami, vêtu d'un costume kaki impeccablement coupé. Il était vraiment mignon : grand, mince, élégant.

Arrivé au pied des marches, Jeremy s'inclina.

— Chef Halliwell, dit-il en embrassant la main de Piper.

Piper pouffa de rire.

— Jeremy, je te présente Phoebe, ma petite sœur.

Il prit la main de Phoebe et l'effleura de ses lèvres.

— Quel honneur de rencontrer la dernière sœur Halliwell ! Elle est… aussi belle que les autres.

— Eh ben, dis donc ! Il est direct, s'exclama Phoebe. Exactement comme tu me l'avais décrit.

Piper lui donna un coup de coude dans les côtes.

— Dis-moi, tu t'es levé de bonne heure ?

— En fait, comme c'est aujourd'hui que tu passes ton test, j'ai pensé t'emmener quelque part pour le petit déjeuner.

Piper sauta de joie et l'embrassa.

— Tu es adorable. Je prends mes affaires et j'arrive.

Elle se précipita dans la maison, rassembla son matériel de cuisine, ainsi qu'un sac rempli de divers ingrédients. Lorsqu'elle ressortit sur le perron, Phoebe lui saisit le bras.

— Attends, Piper. Il faut que je te parle. Nous sommes réellement en danger ! Il faut que nous développions nos pouvoirs !

— Phoebe, s'il te plaît, arrête ce cirque. Nous n'avons aucun pouvoir, compris?

Jeremy saisit Piper par les épaules et la regarda droit dans les yeux.

— Mais si, tu possèdes un pouvoir très particulier. J'en suis certain.

— Pardon? dit Piper. De quoi parles-tu?

— Tu m'as envoûté.

Piper l'embrassa. La blague était stupide, mais ça n'avait aucune importance. Jeremy prit ses affaires et ils se dirigèrent vers la voiture.

— Bonne chance! lança Phoebe.

Piper lui fit un signe de la main et Phoebe, tournant les talons, rentra dans la maison.

— De quoi était-il question? demanda Jeremy en mettant le contact. Qu'est-ce que c'est que cette histoire de pouvoirs?

— Si je te le disais, tu ne me croirais pas.

CHAPITRE 7

Assise à son bureau, Prue rêvassait en griffonnant sur un bloc-notes. Elle ne pouvait s'empêcher de penser à Andy. Cette rencontre lui semblait magique.

Mais elle décida de chasser immédiatement le terme « magique » de son vocabulaire. Elle ne voulait surtout pas rentrer dans le jeu de Phoebe.

Trois coups frappés à la porte la tirèrent de sa rêverie. Levant les yeux, elle vit Roger sur le seuil. La trentaine, grand, blond, élégant, il était très séduisant, malgré ses lunettes cerclées d'or.

— Prue, comment ça se passe avec la collection Beals ? interrogea-t-il. Rien de nouveau ?

— Si. Les objets doivent arriver vers quatorze heures. J'irai superviser le déballage en début d'après-midi.

— Bien. Tu devrais prendre une pause plus longue que d'habitude pour déjeuner, lui suggéra Roger. Ça ne te fera pas de mal. Je sais que tu travailles énormément.

— Merci, Roger.

Elle était contente qu'il l'ait remarqué.

— Bon, il faut que j'aille au conseil d'administration, dit-il, un peu mal à l'aise.

— Je suis prête, je prends juste mon sac.

Roger l'arrêta immédiatement d'un geste de la main.

— Ça ne sera pas nécessaire. Aujourd'hui, je dois m'y rendre seul.

— Pourquoi ? demanda Prue, surprise. J'y vais toujours avec toi.

— Eh bien, ce sont les autres qui l'ont demandé. En fait, je ne sais pas pourquoi. J'ai peut-être commis un impair dont ils veulent me parler en privé.

Prue se rassit, le regardant d'un air soupçonneux. Lui, faire une erreur ?

— Je voulais juste te dire que je serai de retour au bureau dans l'après-midi.

Il sourit tout en jouant avec son stylo.

— Très bien, Roger, conclut-elle. À plus.

Il la salua d'un signe de la tête et repartit en sifflotant.

Il mentait, Prue en était certaine. Roger ne s'était jamais rendu à la moindre réunion du conseil d'administration sans elle. Pour quelle raison s'y rendait-il seul ? Roger était son patron. Elle ne pouvait pas l'obliger à l'emmener avec lui.

De toute manière, il fallait qu'elle travaille sur la collection Beals. C'était elle qui avait proposé le projet de présenter ces magnifiques objets asiatiques, jamais exposés auparavant. Faire découvrir au public ce véritable trésor marquerait une date historique pour le musée. Prue sentait qu'elle allait obtenir une promotion.

Peut-être même serait-elle nommée à un poste supérieur à celui de Roger. Ça serait le bouquet !

Un café à la main, Prue franchit l'entrée principale du musée, traversa le hall tout en marbre et rejoignit les bureaux.

Des employés du musée déballaient d'énormes caisses en bois remplies d'objets venus d'Asie. Roger, un bloc-notes à la main, avait commencé l'inventaire.

Qu'est-ce qu'il fait là ? s'interrogea-t-elle tout en examinant un vase antique posé sur la moquette. Cette livraison faisant partie de son projet, elle était supposée s'en occuper elle-même. Et Roger le savait parfaitement.

— Qu'est-ce qui se passe ? demanda-t-elle, en essayant de maîtriser le tremblement de sa voix.

— Il y a des changements en ce qui concerne l'organisation de l'expo Beals, expliqua Roger. La collection va devenir une de nos collections permanentes.

— Mais c'est super !

— C'est pour cette raison que le conseil d'administration préfère quelqu'un de... enfin... de plus qualifié pour s'en occuper, continua Roger sans cesser de jouer avec son stylo.

— Pardon ?

Prue ouvrait des yeux arrondis par la surprise. C'était elle la spécialiste des objets

Beals et cela faisait des mois qu'elle travaillait d'arrache-pied sur ce projet.

— Tu sembles étonnée ? lâcha Roger.

— Étonnée ? Je suis folle furieuse ! C'est moi qui ai repéré ces objets, c'est moi qui ai convaincu la famille Beals de nous les prêter, c'est moi qui ai trouvé l'argent pour monter l'expo ! Et là, vlan, on me met sur la touche !

Roger fixait le sol tout en glissant son stylo dans la poche de sa chemise. Prue bouillait de colère. C'était donc pour cette raison qu'il ne voulait pas qu'elle l'accompagne au conseil d'administration ! Il avait compris qu'il s'agissait d'un projet exceptionnel et convaincu les membres du conseil de s'en occuper lui-même. Il lui avait carrément piqué son idée !

— Et, bien sûr, c'est toi la personne plus *qualifiée* ? Hein, Roger, c'est ça ?

— Il m'était très difficile de refuser. Tu peux le comprendre, n'est-ce pas ? Mais je sais que tu es heureuse pour moi. Après tout, ce qui est bon pour moi l'est également pour toi.

« On est bien d'accord, mademoiselle Halliwell ? ajouta Roger.

— *Mademoiselle Halliwell ?* Depuis quand on ne s'appelle plus par nos prénoms ? Depuis que tu as décidé de t'approprier mon projet ? Depuis que je t'ai rendu ma bague de fiançailles ? Hein, Roger ? Réponds.

Roger sourit d'un air satisfait.

— C'est à toi de choisir. Il va bien falloir que tu comprennes que la qualité de ton travail n'est pas primordiale. Sais-tu vraiment pourquoi le patron t'a embauchée ?

— Pourquoi ?

— Parce que le jour de ton entretien avec lui, tu portais une jupe courte et tu lui faisais des yeux de biche. (Roger éclata de rire.) Et je suis sûr que c'est vrai.

Une vague de colère submergeait Prue. Quel culot de lui balancer ça ! Quelques mois auparavant, elle n'aurait jamais imaginé qu'il puisse être un lèche-bottes !

La jeune fille fit demi-tour en direction de son bureau.

— Prue... attends.

— Quoi encore ?

— Je pense que l'on devrait se parler — on ne va quand même pas faire appel à un avocat! lança-t-il sur le ton de la plaisanterie.

Prue s'arrêta devant la porte de son bureau, prête à exploser, lorsqu'elle remarqua une tache bleue sur la chemise blanche de Roger. Une tache bleue qui s'élargissait. De l'encre! Son stylo fuyait! Un sourire satisfait se dessina sur ses lèvres.

Roger suivit son regard.

— Zut! fit-il avant de traverser le hall à toute vitesse pour retourner dans son bureau.

Prue pénétra dans le sien et referma la porte. Elle s'écroula dans son fauteuil. L'idée que Roger avait repris son projet à son compte la sidérait.

Mais elle n'allait pas se laisser faire. Elle se battrait. Il fallait qu'elle reprenne les rênes de l'exposition Beals, qu'on reconnaisse la qualité de son travail.

Prue se concentra quelques minutes pour se préparer à la confrontation qui lui paraissait inévitable. Puis elle prit son sac à main, se leva et sortit.

Elle poussa la porte du bureau de Roger.

Assis dans son fauteuil, il téléphonait tout en regardant par la fenêtre. Il avait changé de chemise et de cravate.

C'était Roger tout craché. Il apportait même des vêtements de rechange au travail : incroyable comme ce type soignait son image !

Il était tellement absorbé par sa conversation qu'il ne l'entendit pas entrer.

— En fait, c'est moi qui ai eu l'idée de démarcher des donateurs privés.

Prue comprit qu'il devait être en discussion avec l'un des membres du conseil d'administration.

— De plus, ajouta-t-il, non seulement je suis à l'origine du projet, mais nous savons tous les deux que j'ai suivi l'organisation de cette exposition du début à la fin.

À cet instant, Roger fit pivoter son fauteuil et il découvrit… Prue, les mains sur les hanches, le fusillant du regard. L'attitude de suffisance de Roger fit aussitôt place à un air embarrassé.

— Prue ! murmura-t-il.

— Je démissionne, lâcha-t-elle.

Roger prit une voix posée pour s'adresser à son interlocuteur.

— Excusez-moi, je vous rappelle dans cinq minutes. (Puis il raccrocha.) Prue, réfléchis à ce que tu fais.

— Un boulot minable, un salaire minable, un patron minable. Quelle conclusion dois-je en tirer ?

Roger haussa les épaules.

— Écoute-moi, poursuivit-il en essayant de se montrer persuasif. Tu es blessée, en colère, tu es atteinte dans ta fierté. Je comprends très bien. Tout cela fausse ton jugement. Tu n'arrives pas à comprendre que je te fais une faveur.

— Une *faveur* ? Tu me prends pour une demeurée ?

— Il fallait que je te retire cette exposition. Si je ne l'avais pas fait, le conseil d'administration aurait mandaté quelqu'un de l'extérieur. (Il se pencha vers elle avec un gentil sourire.) Réfléchis bien à ça, Prue. Je cherche à te protéger, je ne veux pas avoir affaire à un étranger. Tu devrais me remercier, plutôt que de me laisser tomber.

Le remercier! Il était vraiment capable d'inventer n'importe quoi!

—T'en fais pas, Roger. Tu n'as pas besoin de moi. Je suis certaine que ton esprit vif saura très bien utiliser à son profit les soixante-quinze disquettes et les milliers de pages de recherches que je laisse dans mon bureau.

—Tu vas le regretter, la menaça-t-il.

— Ah ça, certainement pas! Je pensais déjà que notre rupture était la meilleure chose qui me soit arrivée dans la vie, mais là, c'est la cerise sur le gâteau.

Bouche bée, il la regardait sans savoir quoi dire.

—Adieu, Roger, dit-elle d'un ton enjoué.

Puis elle tourna les talons et sortit de la pièce, un grand sourire aux lèvres.

— J'espère que tu n'emportes rien qui appartienne au musée! lui lança-t-il à travers la porte.

Prue s'arrêta net. Il fallait toujours qu'il ait le dernier mot. Elle éprouva alors une violente envie de lui tordre le cou!

—Au secours! hurla tout à coup Roger.

Qu'est-ce qu'il avait encore inventé ?

— Au secours ! À l'aide ! hurlait-il de plus en plus fort.

Prue fit demi-tour et demeura stupéfaite en le découvrant allongé par terre, le visage rouge et enflé, tentant de reprendre sa respiration. Sa cravate entortillée autour du cou formait un nœud coulant.

Il suffoquait.

CHAPITRE 8

— Prue… aide-moi, balbutiait Roger.

Incapable de faire un geste, elle le regardait se débattre avec le nœud. Reprenant ses esprits, elle se mit à genoux pour dénouer la cravate.

— Je ne peux pas la défaire ! hurla-t-elle.

Plus elle tirait dessus, plus elle se resserrait. À quoi était dû ce phénomène ?

— Prue… râlait Roger.

— Tiens bon, le rassura-t-elle.

Elle se précipita vers son bureau, ouvrit un tiroir dans lequel elle trouva une paire de ciseaux. Quand elle revint auprès de Roger, son visage était cramoisi.

Prue s'empara de la cravate qu'elle coupa net.

—Ah! murmura Roger, le souffle rauque. Merci.

Il lui fit un sourire crispé.

— Ça va mieux?

— Oui. Tu es revenue.

Prue laissa tomber la paire de ciseaux — juste à côté de la tête de Roger. Quel abruti! Il avait probablement imaginé cette mise en scène pour qu'elle revienne sur sa décision.

—Tu n'es qu'un pauvre type! cracha-t-elle en se relevant. Je maintiens ma démission!

Dans l'impeccable cuisine en acier inoxydable de chez *Quake*, le soleil se réfléchissait sur les marmites et les casseroles suspendues au-dessus des fourneaux.

Piper travaillait vite et avec précision, tout en soignant chaque détail. Le chef Moore lui avait donné une heure pour préparer le plat qui lui permettrait d'évaluer ses compétences, et ce laps de temps était bientôt écoulé.

Tout semblait bien se passer. Elle goûta la sauce rouge qu'elle avait préparée dans une cassolette. « Mmmm… » Le plat était presque prêt ; ce serait bientôt le moment idéal pour ajouter un peu de porto, la touche finale à sa préparation.

Elle ouvrit la bouteille que Jeremy lui avait offerte et elle en huma l'arôme. Délicieux !

Piper versa un quart de tasse de porto. Elle allait l'incorporer à la sauce lorsque Sheridan Moore entra.

— Le temps imparti est écoulé ! annonça-t-il.

Sheridan Moore était un chef remarquable, et Piper souhaitait de toutes ses forces travailler auprès de lui.

— Je suis prêt à goûter votre plat, lui déclara-t-il.

Non ! Non, pas tout de suite ! se dit Piper en saisissant la mesure de porto. Sans cet élément essentiel, sa sauce ne serait pas parfaite. Comment faire ?

— Chef Moore, avança Piper. Heu… Je…

Le chef ignora son intervention, les yeux fixés sur une fiche.

— Voyons : un rôti de porc sur un lit de tagliatelles agrémentées d'une sauce à base de rognons et de porto.

— Chef Moore, je…

Avant qu'elle ait eu le temps de finir sa phrase, le chef attrapa une fourchette et la fit tourner au-dessus du plat.

— Il faut que je vous dise quelque chose, reprit Piper.

Il s'arrêta et piqua quelques pâtes.

— Qu'est-ce qui se passe ?

— Le porto... dit-elle.

— Ah oui, le porto ! acquiesça-t-il. Sans ça, la sauce n'est rien de plus qu'une marinade un peu salée. Une recette que l'on trouve dans n'importe quel magazine féminin. Pouah !

— Je n'ai pas eu le temps... insista Piper.

— Ah, ah !

Le chef la coupa d'un simple geste de la main et, plongeant les pâtes dans la sauce, il porta la fourchette à sa bouche.

Piper était hors d'elle.

— Non ! Attendez ! gémit-elle. Ne goûtez pas ça. Je vous en supplie !

Le chef Moore s'arrêta, la fourchette à quelques centimètres de sa bouche ouverte.

— Merci beaucoup, dit Piper, reconnaissante. Je vous demande juste deux petites secondes...

Le chef n'avait pas bougé d'un milli-
mètre. Personne n'avait signalé à Piper qu'il
avait le sens de l'humour.

— Chef Moore? appela-t-elle.

Pas un mouvement. Qu'est-ce qu'il fabri-
quait?

— Hou! Hou! continuait Piper en re-
muant de nouveau sa main. *Hou! Hou!*
insista-t-elle un peu plus fort.

Elle ne comprenait rien à ce qui se passait.
Les battements de son cœur redoublèrent
quand elle se rendit compte que la grande
aiguille de la pendule n'avançait plus. Elle
colla une oreille contre la porte du réfrigérateur : il ne marchait plus! Le temps semblait s'être arrêté, immobilisant tout autour
d'elle!

Horrifiée, elle regarda Sheridan Moore,
statufié. Était-elle responsable de cette
situation? Phoebe aurait-elle raison? Serait-
elle… vraiment… une sorcière?

CHAPITRE 9

— J'ai… arrêté le temps, murmura Piper, incrédule. Enfin, je crois…

Devant elle, le chef était toujours figé au-dessus de son plat de pâtes.

Sans même réfléchir, elle saisit une saucière et la remplit de porto. Elle en arrosa légèrement les pâtes et en mit quelques gouttes sur la fourchette que tenait Sheridan Moore.

Celui-ci cligna soudainement des yeux et enfourna les pâtes dans sa bouche.

Piper, stupéfaite, jeta un coup d'œil sur le fourneau et vit que l'eau bouillait de nouveau. La pendule était repartie et le frigo ronronnait paisiblement.

— C'est magnifique ! déclara le chef en dégustant les pâtes. C'est tout simplement fabuleux ! (Il donna une franche poignée de main à Piper.) Bienvenue à bord — vous avez le poste. Que dire de plus ? Vous pouvez commencer ce soir ?

Piper rayonnait. Elle avait réussi !

— Bien sûr, ce soir, aucun problème.

— Parfait. Rendez-vous à dix-sept heures.

Moore reprit une cuillerée de pâtes et sortit de la cuisine. Piper retira lentement sa toque, tremblante. Elle était ravie d'avoir obtenu ce job, mais que s'était-il passé ? Comment avait-elle pu arrêter le temps ?

Phoebe devait avoir un avis là-dessus. Il fallait qu'elle lui parle. Immédiatement !

Phoebe sortait de la maison lorsque le téléphone sonna. Elle décida de l'ignorer.

Elle descendit les marches du perron et retira l'antivol de son vélo. Puis elle prit la direction de Haight Ashbury, un quartier voisin où elle savait qu'il existait une librairie spécialisée sur la sorcellerie.

Elle n'arrivait pas à se débarrasser de la vision qu'elle avait eue de Melinda Warren. « Les démons vont tout tenter pour anéantir vos pouvoirs. Les démons vont arriver », lui avait-elle appris, mais elle n'avait pas ajouté grand-chose, omettant même de lui expliquer comment une sorcière pouvait lutter contre un démon. Et surtout, comment le reconnaître ? Phoebe n'en avait aucune idée.

Elle s'arrêta devant la librairie *Enchanted*. Dès qu'elle en eut franchi le seuil, une violente odeur de patchouli la prit à la gorge. Il faisait très sombre. Une jeune femme, portant une longue robe noire, était penchée sur le comptoir où s'entassaient des petits pots dorés ainsi que de vieux objets étranges. Derrière elle, se trouvaient des dizaines de bocaux alignés, remplis d'herbes de toutes sortes.

Phoebe se sentait un peu dépassée par la situation. Comment avait-elle pu venir dans un endroit pareil ?

Elle commença par traîner dans les allées, au milieu de formules magiques, de livres et de cartes postales sur lesquelles on pouvait lire : « Tous mes amis me traitent de sorcière. »

Phoebe était persuadée qu'elle ne trouverait rien d'intéressant dans cet endroit lorsque, tout au fond de la boutique, elle dénicha quelques étagères où s'entassaient des livres consacrés à la sorcellerie.

Après avoir jeté un rapide coup d'œil, elle choisit le plus épais, au titre prometteur : *Sorciers et Sorcières – la guerre sans fin*. Phoebe s'appuya contre un mur pour le feuilleter et elle découvrit un passage intéressant :

Le conflit entre les sectes remonte à la nuit des temps. Il est directement lié à la différence fondamentale qui existe entre les sorciers et les sorcières. À l'origine, les sorciers avaient les mêmes pouvoirs que les sorcières.

Tandis que les sorcières étaient censées faire le Bien, les sorciers torturaient des innocents et tuaient les sorcières pour leur dérober leurs pouvoirs.

Ils devinrent ainsi les mauvaises graines du monde de la Wicca.

Le cœur de Phoebe se mit à battre la chamade. Après ce qu'elle avait vécu la nuit précédente, elle ne pouvait que croire ce qu'elle venait de lire. Elle comprenait que ce monde souterrain existait depuis des siècles.

Elle continua sa lecture :

Les sorciers sont devenus de plus en plus puissants au fur et à mesure des générations. Ils ont généralement une forme humaine. Cependant, ils peuvent prendre l'aspect d'un démon. Malheureusement, il se révèle difficile de les reconnaître tant qu'ils n'ont pas décidé d'utiliser leurs pouvoirs démoniaques.

Phoebe referma le livre et se dirigea vers la caisse. La veille encore, elle n'aurait jamais cru à ces histoires, et voilà que maintenant elle devait se méfier de tous les étrangers qu'elle croiserait. Et même de ses amis.

N'importe qui pouvait être un sorcier. *N'importe qui.*

Elle ne quittait pas des yeux le dos d'un homme qui faisait la queue devant elle pour payer une boîte de bougies. Peut-être un sorcier, se dit-elle nerveusement. Tout comme ce type élégant à la mâchoire carrée qui entrait dans la boutique. Ah non, lui, elle le connaissait. C'était Andy Trudeau, l'ancien petit ami de Prue !

Phoebe quitta la file d'attente aussi discrètement que possible. Elle alla reposer le livre sur l'étagère où elle l'avait pris et se dissimula tandis qu'Andy, derrière un grand présentoir de casquettes en velours, feuilletait les ouvrages qui lui tombaient sous la main.

Qu'est-ce qu'il pouvait bien faire là?

Elle ne voulait pas qu'Andy s'aperçoive de sa présence. Il n'était pas interdit d'entrer dans une boutique de la Wicca, mais Phoebe ne tenait pas à ce qu'il lui pose des questions. Et puis, elle avait déjà eu assez d'ennuis avec Prue et ses petits amis.

Andy se déplaçait entre les étagères encombrées de livres. Phoebe se dirigea dans une autre allée pour se glisser derrière un présentoir de couteaux de cérémonie.

Trop tard! Andy l'avait repérée et lui souriait. Et voilà qu'il venait vers elle!

— Phoebe Halliwell? C'est bien toi? C'est étonnant de te rencontrer ici!

Phoebe arbora un air surpris, mais joyeux.

— Andy, ça alors! Salut. Ça fait un moment qu'on ne s'est vus!

— Qu'est-ce que tu fais ici? Je ne savais pas que tu t'intéressais à la Wicca.

Phoebe évita son regard.

— Moi? Pas du tout. C'est pas mon truc. En fait, je cherche un bouquin d'astrologie. C'est bête, mais j'aime bien lire mon horoscope de temps en temps.

Elle se tut et, cette fois, le fixa droit dans les yeux.

— Et toi? Qu'est-ce que tu cherches?

— Je suis sur une affaire. J'enquête sur une série de meurtres.

— Des meurtres? Des gens ont été tués dans ce magasin? lui demanda-t-elle d'un air naïf.

Andy lui lança un regard si intense qu'elle se sentit mal à l'aise.

— Non. Trois sorcières ont été assassinées. Tu es peut-être au courant?

— Oui, bien sûr. J'ai appris ça aux informations.

Inébranlable, il ne la quittait pas des yeux. Qu'est-ce qu'il lui prenait? Il la rendait nerveuse. La tenait-il pour une sorcière?

— Allez, Phoebe. Dis-moi la vérité. Tu ne sais pas mentir.

— Je viens de te le dire… je…

— Tu n'es quand même pas une adepte de la Wicca ? la coupa-t-il.

Phoebe regarda Andy d'un air suspicieux. Il était hors de question qu'elle lui réponde. Surtout après ce qu'elle avait lu dans ce livre à propos des sorciers. Si Andy en était un lui-même, la tuerait-il s'il découvrait qu'elle était une sorcière ?

— Je ne fais que te prévenir, continua Andy. C'est pour ton bien. Être une sorcière est dangereux de nos jours.

Phoebe se mordit les lèvres. *Andy ne peut pas savoir que je suis une sorcière, c'est tout simplement impossible*, se dit-elle pour se rassurer. Elle évitait de croiser son regard.

— Je passais dans le quartier, articula Phoebe, essayant de paraître détendue. Je feuillette des livres, juste histoire de tuer le temps...

Elle eut la sensation qu'Andy ne la croyait pas.

Il porta son attention sur la table qui se trouvait devant eux. Deux rangées de couteaux de cérémonie y étaient présentées sur un lit de velours rouge.

Andy saisit un couteau à la poignée ciselée, et le mit en pleine lumière.

— C'est celui-là, dit-il doucement, portant alternativement son regard de l'arme à Phoebe.

— Mais... enfin... de quoi parles-tu ? bégaya-t-elle.

Elle frissonna à la vue du poignard. Phoebe se rappelait très précisément le fantôme qu'elle avait vu dans le grenier. C'était le même genre de couteau que les démons utilisaient pour tuer les sorcières. Celui-là même qu'il emploierait pour la tuer ainsi que ses sœurs, si jamais il apprenait qu'elles étaient des sorcières !

— Vois-tu, Phoebe, le meurtrier utilise un couteau à double lame exactement semblable à celui-ci, expliqua Andy en examinant l'instrument sous toutes les coutures.

La lame brilla dans la lumière. Phoebe se mit à trembler de nouveau. Andy s'exprimait d'une voix monocorde. On aurait dit qu'il entrait en transe.

— Le meurtrier traque ses victimes pendant des semaines, parfois pendant des mois, murmura Andy. Il attend le moment idéal, lorsqu'elles se sentent en sécurité, en train de pratiquer le rituel de la Wicca. Et alors, il s'approche sans faire de bruit...

Phoebe regardait Andy, qui ne quittait pas le couteau des yeux. Elle avait l'impression qu'il ne s'adressait pas à elle.

— L'assassin lève le couteau au-dessus de sa victime, en tenant la poignée ciselée à deux mains, exactement comme ceci, disait-il en soulevant doucement l'arme.

— Andy... qu'est-ce que tu fabriques ? lui demanda Phoebe, prise de panique.

Il ne répondit pas. Ses yeux brillaient de manière étrange. Phoebe jeta un regard autour d'elle. La boutique semblait s'être brusquement vidée. La caissière n'était plus derrière son comptoir. Où étaient-ils donc tous passés ?

Andy serrait la poignée du couteau tellement fort que ses articulations étaient devenues toutes blanches.

— Andy ! supplia-t-elle une dernière fois.

Mais Andy ne l'écoutait pas. Il levait le couteau au-dessus de sa tête.

Oh, mon Dieu ! se dit Phoebe, épouvantée, *il va me tuer !*

CHAPITRE 10

— Andy, non ! hurla Phoebe. Je t'en supplie, ne me tue pas !

La clochette suspendue au-dessus de la porte de la boutique tinta et la vendeuse habillée de noir rentra dans le magasin.

Andy lâcha brusquement le couteau qui tomba sur le parquet avec un bruit mat. Phoebe reprit sa respiration.

— Qu'est-ce qui se passe ? demanda la femme en noir. Il y a un problème ?

La bouche grande ouverte, Andy regardait Phoebe.

— Tout va bien, dit-il. Mon amie a juste eu un petit malaise.

La femme reprit sa place derrière le comptoir. Andy se tourna vers Phoebe.

— Ça va ?

Phoebe posa les yeux sur le couteau qui gisait sur le sol. Encore sous le choc, elle était incapable de répondre.

— Phoebe, je suis désolé. (Andy lui toucha gentiment l'épaule.) Je n'avais aucune intention de te faire peur. Je mène juste une enquête, et c'est vrai que, parfois, j'essaie de me mettre à la place de l'assassin, pour tâcher de comprendre comment il agit. Ce type est très fort.

Phoebe le laissait parler tout en réfléchissant à ce qui venait de se passer.

Il était étonnant de tomber justement sur Andy après toutes ces années. Le rencontrer dans cette boutique précisément après avoir lu les prédictions du *Livre des Ombres* ne pouvait relever de la coïncidence.

Andy se baissa pour ramasser l'arme et la remit à sa place sur le présentoir en velours.

Phoebe essaya de pousser plus loin son raisonnement. Andy était flic. Il devait donc savoir quelle arme l'assassin utilisait. Et comme toutes les victimes étaient des sorcières, il paraissait normal qu'il traîne dans des endroits de ce genre.

— Tout cela est vraiment drôle, tu ne trouves pas ? dit Andy qui semblait à présent sorti de son état de transe.

— Qu'est-ce qu'il y a de drôle ?

— Prue ne t'en a pas parlé ?...

— Parlé de quoi ? dit Phoebe, déconcertée.

Andy se frappa le front.

— Mais, bien sûr, Prue n'a pas eu le temps de te raconter que je l'ai rencontrée par hasard ce matin près du musée. Et voilà que je tombe maintenant sur toi ici. C'est quand même curieux, non ?

Phoebe avait enfin réussi à reprendre son souffle.

— En effet, c'est curieux.

Et elle le pensait vraiment.

— Ouais, dit Andy. J'étais vraiment content de retrouver Prue. Je sens que tu vas me voir du côté de Halliwell Manor, conclut-il.

— Les élues ? Les *Charmed* ?

Prue s'assit à côté de Phoebe au bar de *Quake*. La soirée était déjà bien entamée. Elle regarda sa petite sœur avec un air dubitatif.

— Phoebe, je te l'ai déjà dit ce matin : cette histoire de sorcellerie est insensée.

Prue sourit au barman qui lui apportait son café. Il servit un jus d'orange à Phoebe, puis se dirigea vers d'autres clients.

Les deux sœurs venaient soutenir moralement Piper pour sa première soirée dans son nouveau travail. La salle était pleine à craquer, et elles n'auraient sans doute pas l'occasion de la voir pour lui souhaiter bonne chance.

— Tu es en train de me raconter que ta journée s'est déroulée de manière tout à fait normale ? demanda Phoebe.

Prue secoua la tête.

— Roger m'a piqué un projet. Voilà la chose la plus étrange qui me soit arrivée aujourd'hui. Si on y réfléchit bien, ça n'a donc absolument rien d'extraordinaire.

— Et à aucun moment tu n'as arrêté le temps, ni déplacé quoi que ce soit, ni lu dans l'avenir ?

Prue but son café. Cette conversation lui tapait sur les nerfs. Elle venait juste de démissionner de son boulot et n'avait aucune envie d'écouter Phoebe divaguer au sujet de ces problèmes de sorcellerie.

— Phoebe, tout cela est parfaitement ridicule. Nous ne sommes pas des sorcières. Et je ne veux plus jamais en entendre parler.

— Prue, il faut que tu m'écoutes. Nous sommes réellement en danger. Tu n'as pas entendu ce qu'on raconte sur ce tueur qui assassine les sorcières ?

— Si, bien sûr. Mais comme je ne suis pas une sorcière, je ne me sens pas vraiment concernée. Et je n'ai aucune envie de perdre mon temps à me demander si je suis une sorcière ou pas.

— Tu le sais parfaitement, insista Phoebe. Mais tu ne veux pas l'accepter. Nous sommes les *Charmed*. Toi, Piper et moi. Nous sommes ici-bas pour vaincre les forces du Mal. Et il faut absolument que nous soyons en pleine possession de nos pouvoirs avant qu'un de ces sorciers nous découvre.

— Un sorcier ? Phoebe, si j'étais dotée de pouvoirs magiques, je ne me retrouverais pas dans un tel marasme. Tu ne crois pas que je m'en serais servie pour que tout aille mieux ?

111

— Tu possèdes un pouvoir. J'en suis certaine. Nous en possédons un toutes les trois.

— D'accord, Phoebe. Alors, vas-y, montre-moi le tien.

— Là… maintenant, je ne peux pas… je ne l'ai pas encore découvert.

Prue secoua la tête.

— Tu es encore plus fêlée qu'avant de partir pour New York. Phoebe, qu'est-ce qui t'arrive ?

Phoebe prit le poignet de Prue.

— Écoute-moi bien. Je sais que nous allons très vite prendre conscience de nos pouvoirs. *Je le sais.*

— Et comment le sais-tu ?

Phoebe hésita. Elle se retourna pour voir si personne ne les écoutait, puis elle se pencha vers Prue.

— Tu te rappelles lorsque Grams nous parlait de Melinda Warren ?

Prue lui fit un signe de tête affirmatif.

— La première de la famille à avoir émigré en Amérique. C'est bien elle ?

— Je l'ai vue, dit Phoebe en baissant la voix. Je l'ai vue dans le grenier. Je lisais *Le*

Livre des Ombres — je sais que ça peut paraître complètement fou, mais... elle m'est apparue. Je l'ai vue, de mes yeux vue.

— T'as vu un fantôme ? lui demanda Prue d'un ton ironique.

— Au début, j'ai été terrifiée. Elle était toute carbonisée, repoussante. Puis elle m'a expliqué que nous étions issues d'une longue lignée de sorcières et que je venais de réactiver nos pouvoirs. Maman et Grams aussi étaient des sorcières, mais nous, nous sommes les *Charmed*. Les sorcières les plus puissantes de tous les temps !

Prue se leva et repoussa son siège. Elle ne pouvait pas en entendre davantage.

— Phoebe, je sais que tu me racontes toutes ces sornettes pour me pousser à bout. Mais, vraiment, je ne suis pas disposée à entendre ça. Et surtout pas aujourd'hui !

— Calme-toi, murmura Phoebe. Je ne te raconte pas d'histoires. Je t'en supplie, assieds-toi.

Prue hésita. Sa sœur se comportait d'une façon inhabituelle. Elle semblait aux abois.

— Tu as le droit de ne pas me croire, dit Phoebe, mais, s'il te plaît, pour une fois, fais-moi confiance.

Je me sens incapable de lui accorder une confiance aveugle, pensa Prue en se rasseyant.

Néanmoins, elle essaya de recouvrer son calme et but une autre tasse de café. Le trouvant trop amer, elle chercha des yeux un pot de lait et en aperçut un à l'autre bout du comptoir.

— Très bien, Phoebe, je reste avec toi. Mais que les choses soient bien claires : je ne possède aucun pouvoir exceptionnel. Si jamais je me rendais compte que j'en avais, tu serais la première à être mise au courant. D'accord ? Et maintenant, passe-moi le lait.

Prue lui montra le pot du doigt et resta interdite lorsqu'elle le vit avancer tout seul, le long du bar, pour s'arrêter juste à côté de sa tasse de café.

Elle jeta un coup d'œil à Phoebe qui, elle aussi, fixait le pot à lait. Sa sœur avait également vu l'objet se déplacer : elle ne l'avait donc pas imaginé.

114

Prue était hypnotisée par le pot. Le niveau du lait baissait comme si quelqu'un buvait le liquide avec une paille invisible. Dans le même temps, son café noir devenait de plus en plus crémeux. Le lait était tellement chaud qu'il bouillonnait dans la tasse.

Prue se sentait toute retournée. S'il s'agissait d'un tour de magie, il était de première qualité !

Stupéfaite, Phoebe écarquillait les yeux.

— Alors, tu ne possèdes aucun pouvoir ? Ça me paraît évident !

CHAPITRE 11

Abasourdie, Prue regardait fixement sa tasse. Était-il possible qu'elles soient dotées toutes les trois de pouvoirs exceptionnels ?

Non. Il ne pouvait s'agir que d'une blague.

— Phoebe, comment as-tu fait ça ?

— Prue, je te le jure, c'est toi qui l'as fait !

Prue se prit la tête dans les mains. Elle avait l'impression de devenir dingue.

— Mais comment ? Comment aurais-je pu faire ça ? Je n'ai rien ressenti. Je n'y étais même pas préparée.

— Je n'en sais strictement rien. Mais c'est arrivé, dit Phoebe avec un haussement d'épaules.

Prue se demandait ce que tout cela signifiait. Le film de la journée se mit à défiler dans sa tête : le stylo de Roger qui avait fui lorsqu'elle s'était mise en colère. La cravate qui se resserrait autour de son cou alors qu'elle avait effectivement eu envie de l'étrangler. Seul un pouvoir surnaturel avait pu provoquer ces phénomènes.

— Attends… attends… Tu veux dire que je suis capable de déplacer des objets uniquement par la force de mon esprit ? Une sorte de télékinésie ?

Phoebe acquiesça d'un signe de tête.

— Je n'arrive pas à le croire. Nous sommes… nous sommes vraiment des sorcières ?

— Je sais, c'est dur à admettre. Je me demande quel est mon pouvoir. J'aimerais bien arrêter le temps. Ça doit être cool, tu ne crois pas ?

Prue eût préféré que Phoebe ne mette jamais les pieds dans ce grenier et qu'elle ne lise jamais ce maudit grimoire.

— Ça va ? s'enquit Phoebe, en voyant que sa sœur avait du mal à contenir son irritation.

— Non. Ça ne va pas du tout ! Tu m'as transformée en sorcière !

— Ça devait arriver un jour ou l'autre. Toutes les trois nous sommes nées sorcières. Et je crois qu'il est vraiment temps que l'on apprenne à vivre avec cette réalité.

Prue se sentait déboussolée. Tout ce qui lui arrivait lui mettait la tête à l'envers. Elle avait envie de partir en courant.

Elle s'apprêtait à se lever, lorsqu'elle vit Andy entrer dans l'établissement.

— Salut, Andy! lança Prue, ravie. Comment savais-tu que j'étais ici? Vous me suivez, monsieur l'inspecteur? plaisanta-t-elle.

Andy lui répondit par un sourire énigmatique.

— Tu sais bien qu'il est dans mes habitudes d'espionner et de fouiner partout. Bon, en fait, ajouta-t-il, je suis venu pour t'inviter à sortir ce soir.

Estomaquée, Phoebe se racla la gorge, se leva, prit la main de sa sœur et se dirigea vers la sortie.

— Je suis très contente de t'avoir revu, glissa rapidement Phoebe à Andy. Mais il faut qu'on y aille.

— Phoebe, attends une seconde ! lança Prue. Tu as bien dit : *revu* ? Qu'est-ce que tu veux dire par là ?

— On s'est croisés par hasard aujourd'hui même, lui expliqua-t-elle. J'ai oublié de t'en parler.

— Ne partez pas déjà ! s'exclama Andy. Je vous offre un verre. D'accord ?

Phoebe se retourna vers sa sœur et lui glissa à l'oreille :

— Il faut que je te fasse une confidence très importante… dehors.

Prue accusa le coup. Elle regarda Phoebe d'un air suspicieux. Lors de sa rupture avec Roger, tout avait commencé exactement de la même façon. Phoebe avait voulu lui parler en tête à tête et lui avait alors avoué que Roger avait essayé de la séduire.

— Prue, sois raisonnable. (Phoebe la tirait par le bras pour l'éloigner d'Andy.) Allez, on y va.

Prue adressa à son ami un regard contrit, accompagné d'un petit signe de la main.

— Ce coup-ci, ça va ! lança-t-il en éclatant de rire. Mais la prochaine fois, ça ne se passera pas ainsi.

Prue suivit Phoebe dans un état second. Sa sœur allait-elle lui jouer souvent ce genre de scénario?

Lorsqu'elles se retrouvèrent à l'extérieur, Phoebe poussa un soupir de soulagement.

— Tu peux me dire ce qui se passe? demanda Prue en se retournant vers sa sœur.

Devant le regard venimeux que sa sœur lui lançait, Phoebe comprit ce qu'elle avait en tête.

— Écoute-moi bien, commença-t-elle tandis qu'elles se dirigeaient vers la voiture de Prue, ce n'est pas ce que tu crois. Il n'y a strictement rien entre Andy et moi. Je trouve simplement un peu étrange qu'il réapparaisse juste après que tu as découvert ton pouvoir.

— De quoi tu parles? Qu'est-ce qu'Andy a à voir avec toute cette histoire?

— Il faut que je trouve le lien. (Elles tournèrent le coin de la rue pour se diriger vers le parking.) Mais tu dois savoir un truc, Prue. Les sorciers peuvent représenter le Bien ou le Mal.

— Bon, d'accord. Mais attends une minute, quel rapport ça a avec nous ? demanda Prue tandis qu'elles arrivaient près de sa voiture de sport rouge.

— Melinda Warren m'a dit que, dès que nos pouvoirs se réactiveraient, les démons se mettraient à nous pourchasser. Tant que nous n'avions pas pris conscience de nos facultés, nous étions en sécurité. Mais ce n'est plus le cas, au moins pour toi, et je suppose que pour Piper et moi ça ne saurait tarder. À présent, les démons ne vont plus nous lâcher et ils auront l'apparence de gens tout à fait normaux. Cela peut être n'importe qui et arriver n'importe où.

— Tu veux dire qu'Andy est un démon ? Phoebe, c'est complètement ridicule. On le connaît depuis toujours !

— Mais c'est possible, enchaîna Phoebe. Tu as pris conscience de ton pouvoir, et puis, hop ! il réapparaît dans notre vie. De plus, quand je l'ai vu aujourd'hui, il se comportait de manière étrange.

— Où l'as-tu rencontré ?

— Dans la boutique de la Wicca, sur le Haight. Il m'a dit qu'il enquêtait sur les meurtres des sorcières.

Phoebe s'était rapprochée de sa sœur et lui parlait avec calme.

— Puis il a pris un couteau de cérémonie posé sur un présentoir et est entré dans une sorte de transe. J'ai eu l'impression qu'il allait me tuer sur-le-champ ! dit-elle en frissonnant à la simple évocation de ce qui s'était passé.

Prue fit quelques pas en arrière.

— Mais il ne t'a fait aucun mal ?

— Non, reconnut Phoebe. Il n'a pas eu le temps, car quelqu'un est entré dans la boutique.

— Écoute, je suis certaine que ce couteau était simplement un indice pour son enquête, dit Prue.

— Tu ne trouves pas étrange qu'Andy tombe sur deux d'entre nous au cours de la même journée ? Après tout ce temps ?

Prue grimaça et Phoebe se dit que son idée commençait à faire son chemin.

— Mais… protesta Prue, ce matin, lorsque j'ai bu un café avec lui, il s'est montré tout à fait charmant. On a passé un très bon moment. Andy ne peut être un démon !

— Réfléchis une seconde ; tu l'as vu ce matin. Je l'ai vu cet après-midi et ce soir. (Elle marqua une pause car une pensée terrible venait de lui traverser l'esprit.) Et, comme par magie, il vient dans le restaurant où travaille Piper !

— Phoebe ! Piper vient seulement de commencer ce job. Comment aurait-il pu… ?

C'était exactement ce que pensait Phoebe. Comment aurait-il pu savoir ?

— À présent, Piper se trouve là-bas avec Andy. Il faut que nous retournions chez *Quake*. Elle doit être en danger !

CHAPITRE 12

Prue suivait Phoebe qui se hâtait vers le restaurant. Comment était-il possible qu'Andy fût un démon ? Elle s'en serait bien aperçue lorsqu'ils sortaient ensemble. Phoebe devait se tromper. Il existait forcément une explication rationnelle.

— On va passer par-derrière, proposa Phoebe. On pourra certainement apercevoir Piper par la fenêtre de la cuisine.

— Phoebe, je suis certaine que Piper va très bien, protesta Prue. Andy serait incapable...

— Chuutt ! Je veux juste en avoir le cœur net. Si Piper va bien, on repart.

Elles s'approchèrent de la fenêtre sans faire de bruit, puis regardèrent à l'intérieur.

Prue vit Piper dans son uniforme de cuisinier, debout devant une table en métal. Elle parlait avec quelqu'un. C'était... Andy !

— Il est là, murmura Phoebe. Il est en train de lui parler !

— Phoebe... je le vois comme toi !

Prue, le cœur battant, les observait avec attention. Elle ne pouvait voir le visage d'Andy, mais Piper souriait et paraissait tout à fait à l'aise.

Piper ne semblait pas avoir peur. Elle était même étrangement calme au regard de l'agitation qui régnait autour d'elle et donnait l'impression de contrôler parfaitement la situation.

— Phoebe, je suis certaine qu'il y a une explication logique à cela, chuchota Prue. Andy a peut-être l'habitude de venir dîner chez *Quake*. Ça ne veut absolument pas dire que c'est un démon.

— Mais, que fait-il dans la cuisine ? insista Phoebe. Les clients n'ont pas pour habitude de venir se servir eux-mêmes.

— Je ne sais pas. Peut-être Piper l'a-t-elle aperçu dans la salle et l'a invité à la suivre pour discuter. Qui sait ?

125

Elle regarda de nouveau à travers la vitre. Andy poussait la porte à double battant avec une assiette pleine.

— Tu vois, Piper va très bien.

— J'espère que tu as raison, admit Phoebe.

— Ça va? On peut partir? Je voudrais m'acheter de l'aspirine avant de rentrer à la maison. Toutes ces histoires de sorcellerie m'ont donné un épouvantable mal de tête.

Prue et Phoebe repartirent vers la voiture en silence. Prue demeurait certaine qu'Andy n'était pas un démon. Phoebe ne se trompait sans doute pas au sujet de leurs pouvoirs, mais elle n'avait pas raison sur tout; en fait, elle avait rarement raison sur quoi que ce soit.

Prue démarra et prit la direction de la pharmacie. Il fallait qu'elle se fasse à l'idée qu'elle était bien une sorcière. Mais pour l'instant, elle ne voulait pas y penser. Elle voulait juste que sa migraine cesse le plus vite possible.

Une fois dans le magasin, Phoebe sur les talons, Prue se dirigea vers la dernière allée.

— Andy sait peut-être depuis toujours que nous sommes des sorcières, murmura

Phoebe. Mais il devait attendre que nos pouvoirs nous soient révélés pour agir.

Prue aurait préféré que sa sœur se taise.

— Merci d'aggraver mon mal de tête. Je dois absolument trouver de l'aspirine.

— Tu sais bien que le meilleur truc, c'est une bonne vieille tisane à la camomille.

— Pas ce coup-ci. J'ai vraiment trop mal, lui répondit sèchement Prue.

Elle tourna dans l'allée suivante, mais n'y trouva que des shampoings et des bombes de laque.

— Cette pharmacie ne vend donc rien d'autre que des produits capillaires ?

Elle s'arrêta à la caisse située à l'entrée du magasin.

— Excusez-moi, où puis-je trouver l'aspirine ?

Le jeune homme qui lui répondit ne daigna même pas lever les yeux du magazine qu'il était en train de lire.

— Allée 3.

Prue ne voyait que des étagères remplies de produits de médecine douce. Où était donc cette satanée aspirine ?

Elle poursuivit l'inspection des rayonnages. Des sirops pour la toux, du dentifrice... Prue avait l'impression que sa tête était serrée dans un étau.

— Qui préférerait rester normal alors qu'il aurait la possibilité d'être quelqu'un de spécial ? lui demanda Phoebe en souriant.

— Mais je veux être normale, insista Prue. Je veux vivre normalement.

« Ah, la voilà, dit Prue en s'arrêtant devant l'allée 3. Il a bien dit que l'aspirine se trouvait ici ?

— Nous ne pouvons rien changer à ce qui nous arrive, continuait Phoebe. De plus, nous sommes en danger. Il faut absolument que nous apprenions à nous servir de nos pouvoirs. Et vite !

— Est-ce que tu vois l'aspirine ? s'énervait Prue.

Phoebe pouvait-elle cesser de la harceler une bonne fois pour toutes avec ses idées fixes ?

—Tiens, il y a de la camomille, répondit Phoebe en lui montrant un présentoir.

— Écoute, reprit Prue en faisant face à sa sœur. Je viens à peine de découvrir que je suis une sorcière, que mes deux sœurs le sont également, que nos pouvoirs, apparemment, déclenchent les forces du Mal et, pour clore le tout, qu'elles nous auraient repérées ! Alors, Phoebe, je suis désolée, mais je ne suis pas d'humeur à prendre un traitement homéopathique !

— Alors, pourquoi n'utilises-tu pas ton pouvoir ? suggéra Phoebe comme si c'était une évidence. Chasse le mal de tête de ton esprit.

— Laisse tomber ! hurla Prue.

À ce moment-là, une boîte d'aspirine se détacha d'une étagère et flotta vers Prue qui l'attrapa d'un geste machinal. Les yeux de Phoebe s'arrondirent.

Prue observa sa sœur un long moment, puis son regard se reporta sur la boîte qu'elle tenait.

— Tu déplaces des objets lorsque tu es excédée, lui dit Phoebe en souriant. C'est bien ça ?

— Tu es complètement dingue. Tu sais, Grams aimait plaisanter en racontant que, petite, tu étais tombée sur la tête. Elle devait avoir raison.

— *Le Livre des Ombres* dit que nos pouvoirs vont s'amplifier, se contenta d'ajouter Phoebe.

— Pas le mien, rétorqua Prue, je ne le souhaite pas. Au moins, c'est un truc que je peux contrôler. Et je ne déplace pas les objets lorsque je suis énervée.

— Je vais te prouver le contraire, dit Phoebe. Plus tu es énervée, plus ton pouvoir se développe.

Prue trouvait le comportement de sa sœur vraiment infantile.

— Ro… ger, la railla Phoebe en chantonnant.

À la simple évocation de ce nom, Prue sentit la colère monter en elle. Elle essaya de se contenir.

Trois tubes d'aspirine quittèrent l'étagère pour s'écraser sur le sol.

— À présent, on va parler de papa.

Pourquoi Phoebe faisait-elle allusion à lui ? Prue tenta une fois encore de refréner sa colère, mais elle haïssait son père plus que tout au monde.

— Papa est mort.

— Non, il n'est pas mort. Il a simplement déménagé à New York et il est en pleine forme.

— Pas pour moi. Il est mort le jour où il a abandonné maman.

— Ouais, tu as raison, dit Phoebe en éclatant de rire. À tes yeux, il n'a jamais été qu'un sale arriviste. Tu enrages de le savoir en vie. Et ça te rend dingue que j'aie essayé de le retrouver, comme ça te rend dingue que je sois revenue. Papa-Papa-Papa-Papa-Papa-Papa-Papa !

Prue lança un regard noir à sa sœur. Elle ne pouvait plus supporter cette situation. Elle haïssait son père et elle haïssait encore plus sa sœur d'avoir osé parler de lui !

Des centaines de boîtes de médicaments s'envolèrent, comme emportées par un souffle, pour venir s'écraser sur le sol.

— Comment oses-tu parler de papa devant moi ? Tu ne te rappelles pas que tu n'arrivais pas à t'endormir tellement tu pleurais lorsqu'il est parti. Tu étais trop petite. J'étais obligée de rester des heures entières à côté de toi jusqu'à ce que tu tombes de sommeil! Alors, s'il te plaît, ne me parle plus de papa! Compris? Je me souviens trop bien comment nous avons vécu après son départ. Je me souviens de *tout*!

Prue respira un grand coup. Son mal de tête avait disparu comme par enchantement. Elle se sentait détendue, beaucoup plus calme qu'elle l'avait jamais été depuis plusieurs mois.

— Tu te sens mieux? lui demanda Phoebe avec un sourire narquois.

— Ouais, vraiment.

Elle regarda les boîtes qui jonchaient le sol. En définitive, elle avait toujours su ce qui pourrait se passer si elle se laissait envahir par ses émotions. Malgré la pagaille qui régnait autour d'elle, elle se sentait bien, il suffirait simplement de nettoyer...

CHAPITRE 13

Le lendemain matin, Phoebe retrouva Piper dans la cuisine où elle prenait son petit déjeuner.

— Je suis épuisée, confia Piper en se frottant les yeux.

Elle plantait mollement sa cuillère dans son bol de céréales.

— Tu es sortie avec Jeremy après le boulot ? demanda Phoebe.

— Non, j'étais trop fatiguée. J'ai terminé très tard chez *Quake*.

Phoebe ne savait pas trop si elle devait parler à sa sœur de Prue et de leurs pouvoirs. Après tout, c'était à l'aînée de s'en charger.

— Bonjour, Prue, dit doucement Piper.

Phoebe leva les yeux. Prue, toujours en pyjama, entrait dans la pièce. Elle prit une tasse qu'elle emplit de café.

— T'as pas l'habitude de te lever aussi tard, constata Phoebe.

— Je n'ai aucune raison de me lever de bonne heure, commenta Prue en étendant les pieds sous la table. Je te rappelle que je n'ai plus de travail.

— Et... depuis quand? marmonna Piper, sidérée.

— Depuis hier. Roger m'ayant piqué un projet, j'ai démissionné.

— Si je comprends bien, je vais devoir vous entretenir? plaisanta Piper. Ne t'inquiète pas, tu vas trouver un autre job sans même t'y attendre. Quand une porte se ferme, une autre s'ouvre.

— Cette théorie ne marche pas pour moi, dit Phoebe sur un ton plaintif.

— Tu trouveras un travail qui te convient si tu le désires vraiment! lui lança Prue. Phebes, il faut que tu sois patiente. Prends ton temps.

Faute Phoebe

Ça faisait un sacré bout de temps que Prue ne l'avait pas appelée comme ça. Elle semblait exceptionnellement détendue. Son pouvoir nouvellement acquis l'avait peut-être transformée — et semblait-il en bien.

— Bon, puisqu'on est réunies toutes les trois, je voudrais vous dire quelque chose, intervint Piper. Hier après-midi, il m'est arrivé un truc bizarre. J'étais en train de passer le test lorsque le chef Moore est entré dans la cuisine pour me dire que l'examen était terminé. Ma sauce au porto n'était pas tout à fait prête. Je ne savais plus quoi faire. Il me fallait un peu plus de temps. Je savais que, s'il goûtait la sauce avant que j'y aie ajouté une mesure de porto, je n'aurais pas le job.

— Et tu ne pouvais pas lui dire que tu avais besoin d'une ou deux minutes de plus? lui demanda Prue.

— C'était trop tard. Il avait déjà plongé sa fourchette dans les pâtes et s'apprêtait à manger. C'est alors que je lui ai dit de s'arrêter… Et il s'est arrêté.

— Génial, dit Phoebe. Je croyais pourtant que les chefs étaient caractériels.

135

— Vous n'y êtes pas. Il était comme pétri-fié. Dans la cuisine, tout s'est arrêté : le réfrigérateur, la pendule et même les bulles de l'eau qui bouillait se sont figés. C'était fascinant. Tu crois... tu crois que c'est moi qui ai provoqué ça ? demanda-t-elle à Phoebe. Tu crois vraiment que j'ai le pou-voir d'arrêter le temps ? (Elle se prit la tête dans les mains.) Je ne suis quand même pas une sorcière ?

— T'en fais pas, Piper, la rassura Prue en lui frottant le dos. Tu n'es pas la seule. J'ar-rive à déplacer des objets par la seule force de mon esprit. Phoebe peut te le confirmer.

— J'espère que tu plaisantes ? dit Piper, désespérée.

— Non, c'est vrai, renchérit Phoebe. Elle a entièrement dévasté la pharmacie. Des centaines de boîtes se sont envolées des éta-gères... seules.

— C'est difficile à admettre ! fit Piper.

— Melinda m'a dit que le troisième pou-voir consisterait à prévoir l'avenir, dit Phoebe. Ça doit être le mien. Enfin, je le pense. Il faut que j'en prenne possession avant d'être attaquée par un démon. Nous ne savons ni quelle forme il prendra, ni comment le combattre. Si j'arrive à lire dans l'avenir, ce sera un bon point pour nous.

— Des démons qui nous attaquent? De quoi parles-tu? interrogea Piper.

— Tu n'as pas écouté ce que je t'ai dit hier matin? Nous sommes menacées! Ils veulent nous voler nos pouvoirs en nous tuant! Ces femmes assassinées étaient toutes des sorcières! Et chaque fois que le meurtrier en tue une, il devient encore plus fort, car il récupère ses pouvoirs.

— Comment peut-on reconnaître un démon? demanda Piper.

— Nous ne savons pas, expliqua Prue. Phoebe dit que n'importe qui peut en être un.

Elle jeta un coup d'œil en direction de sa jeune sœur avant de continuer son récit.

— C'est pour cette raison que, hier soir, nous sommes parties tôt de chez *Quake*. Phoebe commençait à faire une crise de parano. Elle pensait qu'Andy était un démon.

Piper éclata de rire.

— Andy ? N'importe quoi. Il est flic.

— J'ai de très bonnes raisons de le soup-çonner, argumenta Phoebe. Vous êtes in-croyables. À partir de maintenant, nous ne pouvons avoir confiance qu'en nous-mêmes.

— Et Jeremy ? Tu crois que lui aussi pour-rait être un démon ? demanda Prue.

— Jeremy ? Ça va pas, la tête ! Je n'ai jamais rencontré un type aussi gentil.

— Piper, il faut toujours se méfier de l'eau qui dort.

— Tu veux dire que nous devons suspecter tout le monde ? poursuivit Piper. Je n'arrive pas à le croire.

— Nous ne savons pas du tout dans quelle peau s'est glissé le démon, expliqua Phoebe. La seule solution, c'est d'être aux aguets. Pigé ?

Éberluées, Piper et Prue se regardèrent. Elles n'avaient pas l'habitude de recevoir des ordres de leur petite sœur. Pourtant, elles acquiescèrent.

— Qu'est-ce qu'Andy t'a raconté hier soir ? s'enquit Phoebe.

— Comment sais-tu que je lui ai parlé ? interrogea Piper. Je n'ai pas quitté la cuisine.

Phoebe, gênée, ne put faire autrement que de lui avouer qu'elles l'avaient espionnée par la fenêtre de la cuisine.

Piper n'en croyait pas ses oreilles.

— Il fallait qu'on le fasse, lui expliqua Phoebe. On était persuadées que tu étais en danger, qu'Andy essaierait de te faire du mal !

— Et lorsqu'on a compris que tout se passait bien, on est parties, ajouta Prue.

— Alors, maintenant, peux-tu nous dire ce que te racontait Andy ? répéta Phoebe.

— Il voulait juste le numéro de téléphone de Prue. Il l'avait perdu. Je lui ai dit que nous vivions de nouveau dans la maison de Grams.

Phoebe ne put s'empêcher de hurler.

— Tu lui as dit où nous habitions ?

— Phoebe, ça n'a aucune importance, l'interrompit Prue. Je le lui avais déjà dit lorsque je l'ai croisé par hasard. Comment pouvais-je supposer que c'était peut-être un démon ? Je ne savais même pas que ça existait.

Elle laissa errer son regard dans la cuisine.

— Au fait, quelqu'un a acheté le journal ?

— Non, pas encore, répondit Phoebe.

— Je vais y aller.

Prue se leva de sa chaise et, sa tasse de café à la main, quitta la cuisine.

— Ça nous permettra peut-être de trouver un nouveau job ! dit-elle en traversant le hall d'entrée.

— Et pourquoi pas dans une société de déménagement ? lui lança Piper. Tu pourrais déplacer des villas entières sans lever le petit doigt !

Prue passa la tête dans l'embrasure de la porte en souriant, puis sortit.

— Il faut que je sorte un moment, dit Phoebe en soupirant. Je n'arrive pas à chasser les démons de mon esprit. Je vais m'aérer un peu, conclut-elle.

— D'accord, mais je serai sans doute partie quand tu rentreras, la prévint Piper. Il faut que j'aille au restaurant un peu plus tôt, j'ai des choses à régler. Et ne vous affolez pas si je ne rentre pas cette nuit. Je dois voir Jeremy.

Phoebe l'arrêta net.

— Attends. Depuis combien de temps déjà connais-tu ce type ?

— Phoebe, je t'en prie…

— OK, OK, je ne demanderai rien à son sujet ! Mais sois prudente.

— Oui, maman ! lui répondit Piper en souriant.

— Bonne chance ! lui lança Phoebe, en s'élançant hors de la cuisine.

Elle attrapa son sac à dos posé près de la porte d'entrée et sortit précipitamment de la maison.

Phoebe descendit les quelques marches qui menaient à la rue et enfourcha son vélo.

L'image d'Andy la hantait. Elle se le remémorait constamment en train de brandir ce couteau orné de pierreries.

CHAPITRE 14

Prue se regardait fixement dans le miroir tandis qu'elle mettait ses boucles d'oreilles avant de rejoindre Andy qui l'avait invitée à déjeuner. Elle ne se trouvait pas vraiment différente.

Andy avait appelé après le départ de Phoebe. Prue n'aurait donc pas à se justifier auprès de Phoebe. Elle n'allait pas se couper du monde sous prétexte qu'elle était une sorcière !

Prue descendit l'escalier quatre à quatre, se regarda une dernière fois dans la glace de l'entrée, monta dans sa voiture, et se rendit en ville.

Sa gorge se noua lorsqu'elle entra dans le petit restaurant où ils s'étaient donné rendez-vous.

Elle devait se détendre. Phoebe se trompait complètement au sujet d'Andy : rien ne laissait supposer qu'il soit un démon. Pourquoi sa sœur lui avait-elle bourré le crâne avec cette histoire ?

Ses craintes s'envolèrent dès qu'elle le vit. Andy se leva pour l'accueillir.

— Salut, dit-il en l'embrassant sur la joue. Qu'est-ce que tu veux boire ?

— Un verre de vin blanc.

— Alors, quoi de neuf depuis hier ?

Prue arbora un large sourire pour masquer les pensées qui la troublaient. Tant d'événements s'étaient succédé depuis la veille. Après avoir rapidement réfléchi, elle trouva un point de départ.

— Eh bien, en fait, je n'ai plus de boulot. Hier, j'ai donné ma démission.

— Pour quelle raison ? fit Andy, étonné.

— Roger était mon patron, expliqua Prue. Ça faisait un petit bout de temps qu'il me mettait des bâtons dans les roues ; et finale-

143

ment hier, une goutte d'eau a fait déborder le vase.

— Ce n'est peut-être pas plus mal. Ça n'est jamais facile de travailler avec quelqu'un qui vous a été très proche.

— Ça, je m'en suis rendu compte, dit Prue. Mais ce travail me plaisait énormément.

— Ne t'en fais pas, lui dit-il doucement. Tu n'auras aucun problème pour retrouver un job.

Elle posa sa main sur celle d'Andy, goûtant le plaisir de ce réconfort. C'était si bon de pouvoir compter sur quelqu'un. Pour une fois, elle n'avait pas besoin d'être la plus forte.

— Comment se passe ton enquête? demanda-t-elle. Tu crois que tu vas réussir à trouver le type qui assassine toutes ces femmes?

— Il est vraiment fort, dit Andy en secouant la tête. On est bloqués. Difficile de savoir quelle pourrait être sa prochaine victime. À part les boutiques de tatoueurs, nous n'avons aucune piste.

144

Prue ne put s'empêcher de penser aux paroles de Phoebe : elles pouvaient être les prochaines victimes.

— Prue... ça va ?

— Oui, oui, répondit-elle avec un petit sourire crispé.

Et si elle le prévenait qu'elle était une sorcière ? Ça pourrait faire progresser l'enquête.

— Tous ces rites autour de la Wicca sont tellement étranges, ajouta-t-il. Je ne comprends pas ce qu'ils sont censés accomplir. Et puis je n'arrive pas à croire qu'autant de gens soient attirés par ce truc.

Elle décida de différer encore le moment des confidences.

— Prue, tu te sens vraiment bien ? Tu sembles avoir la tête dans les nuages.

— Ça va, Andy, lui assura-t-elle. Aucun problème.

— Il a dû se passer quelque chose hier. Tu n'es plus la même.

Prue essaya en vain de trouver une réponse cohérente.

— Hum, Andy, qu'est-ce qui te fait croire ça ?

— Tu es différente. C'est comme si tu n'avais pas confiance en moi. Tu avais pourtant l'habitude de tout me dire. Alors, vas-y.

Il essaya de lui prendre la main, mais Prue le repoussa. Elle se sentait soudainement mal à l'aise, près de lui.

Prue promena son regard alentour pour observer les autres clients, mais la salle était pratiquement vide. Bizarre!

— Mais, enfin, qu'est-ce que tu as? insista Andy.

— Tu sais quoi? Il faut que je m'en aille, dit-elle brutalement. Je viens de me rappeler quelque chose.

— Mais tu n'as même pas encore commandé!

La jeune fille quitta la banquette.

— Andy, je suis désolée. Je t'expliquerai plus tard.

— Prue… attends.

Une fois sur le trottoir, elle se retourna rapidement pour voir s'il la suivait. Andy se tenait sur le seuil du restaurant. Leurs regards se croisèrent. Prue tourna rapidement

146

le coin de la rue pour aller récupérer sa voiture.

Lorsque Prue rentra à la maison, elle trouva un message sur son répondeur.

« Prue, c'est Roger. »

Elle écarquilla les yeux en entendant sa voix de faux jeton. Qu'est-ce qu'il pouvait encore lui vouloir ?

« Je te cherche, disait-il, et je finirai bien par te retrouver. On ne me quitte pas aussi facilement. »

Le message lui fit froid dans le dos. Il n'allait quand même pas la menacer !

« J'ai besoin de toi, continuait Roger. J'ai besoin de ton... »

Clic. Roger avait raccroché. Toute tremblante, Prue se souvint des recommandations de Phoebe : les démons peuvent prendre n'importe quelle forme ou se glisser dans la peau de n'importe qui.

Oui, de n'importe qui. Celle d'Andy, comme celle de Roger.

Phoebe acheva en danseuse l'ascension de l'une des collines de San Francisco. Faire du vélo la détendait, lui permettait d'oublier tous ses soucis.

En arrivant en haut, elle soufflait comme une locomotive. Heureusement elle pourrait récupérer dans la descente !

Elle éprouva alors un vertige qui faillit la faire tomber.

Puis un éclair de lumière l'aveugla et une décharge électrique lui traversa le corps. Elle suffoqua et se mit à paniquer. *Qu'est-ce qui se passe ?* Elle ferma les yeux et dans son esprit une scène se déroula comme dans un rêve.

Deux adolescents sans casque sur des skate-boards dévalaient la route à toute allure, sautant sur la bordure du trottoir, avant d'enchaîner des virages. Une voiture tourna au coin de la rue. Une voiture noire. Un bruit de klaxon retentit. Des pneus crissèrent sur la chaussée. La voiture fit une embardée.

Trop tard. Le véhicule n'avait pas pu éviter les gamins. Du sang sur la chaussée.

Du sang coulait de leur crâne…

Puis les images s'estompèrent et disparurent. Phoebe cligna des yeux en secouant la tête pour se remettre les idées en place. Profondément choquée, elle avait mis un pied à terre.

Qu'est-ce qui s'était passé ?

Les maisons qui l'entouraient ne ressemblaient pas à celles qui venaient de lui apparaître. Et il n'y avait ni enfants ni voiture noire.

Pourtant, la scène lui paraissait réelle. Elle avait bien assisté à un accident !

Elle ne tarda pas à comprendre qu'elle venait d'avoir une vision. Elle devait agir. Vite. Il fallait qu'elle sauve ces gamins !

Elle enfourcha de nouveau son vélo et pédala frénétiquement.

Pas de voiture noire. Pas d'adolescents en vue.

Elle se coucha sur son guidon, afin de descendre la colline le plus vite possible. Le vent lui fouettait le visage. Il fallait qu'elle les trouve ! C'est alors qu'elle l'aperçut. Un véhicule noir roulait à vive allure devant elle. Était-ce la même voiture ?

Alors qu'elle arrivait aux abords d'un virage, le souffle coupé, elle remarqua deux garçons, qui montaient et descendaient du trottoir.

Son regard passa de la voiture aux ados. Ils n'avaient pas vu le véhicule ! Phoebe pédalait comme une dératée pour les rejoindre.

— Attention ! hurla-t-elle aux gamins.

Elle fonça de plus belle pour essayer de leur couper la route et fit une embardée devant eux. Les deux garçons bifurquèrent pour l'éviter.

Phoebe fit un nouvel écart, perdit le contrôle de son vélo et tomba sur la chaussée. Une douleur fulgurante lui transperça l'épaule gauche.

Phoebe eut juste le temps de lever les yeux pour voir la calandre de la voiture se rapprocher d'elle à toute vitesse.

— Noooooonn !

CHAPITRE 15

Prue pénétra comme un ouragan aux urgences, se frayant un passage parmi les gens qui attendaient à l'accueil.

Un homme lui tournant le dos conversait avec l'infirmière des admissions. Elle se planta entre les deux interlocuteurs et les interrompit :

— Je cherche ma sœur, Phoebe Halliwell, dit-elle sans avoir repris son souffle.

Le visiteur se retourna. Prue faillit s'étrangler. Andy ! Que faisait-il là ?

— Prue ! Qu'est-ce qui se passe ? Phoebe va bien ?

— Je ne sais pas. Elle a eu un accident. Qu'est-ce que tu fais ici ? lui demanda-t-elle avec nervosité.

— J'enquête sur un meurtre. Je suis ici pour assister à l'autopsie de la victime numéro trois.

Un silence de plomb s'installa. Andy finit par le briser en s'adressant à l'infirmière :

— Savez-vous quand le docteur Gordon sera disponible ?

— Dans une vingtaine de minutes. Vous pouvez l'attendre à côté si vous le désirez.

— Merci, dit-il en se tournant vers Prue. Qu'avais-tu cet après-midi ? Tu avais l'air très perturbée.

Prue perçut une nuance de colère dans sa voix, qui la paralysa.

— Prue, parle-moi, la supplia Andy.

Il avait repris sa voix douce et la contemplait tendrement.

Prue restait sous l'emprise de ce regard qui la faisait fondre. Elle était prise d'une envie irrésistible de révéler son secret à Andy. Peut-être pourrait-il l'aider ? Elle avait besoin de faire confiance à quelqu'un — de *lui* faire confiance.

— J'espère juste que ma sœur va bien, finit-elle par dire, en repensant aux recommandations de Phoebe.

— Prue !

Piper traversait le hall d'entrée en compagnie de Jeremy.

— Que se passe-t-il ? Vous avez vu Phoebe ? Comment va-t-elle ?

— Tout va bien, la rassura Piper. Elle a fait une chute de vélo. Une voiture a failli la heurter. Le médecin nous a dit qu'elle avait eu beaucoup de chance. Elle n'a rien de cassé. Seulement des égratignures et quelques bleus.

— Tant mieux, dit Prue, soulagée.

Andy apparut derrière elle.

— Salut, Piper.

— Salut, Andy.

Piper adressa à Prue un regard entendu. Pourquoi Andy se trouvait-il là ?

— C'est sympa de te revoir, ajouta néanmoins Piper. Je te présente Jeremy. Jeremy, voici Andy Trudeau, un vieil ami de Prue.

Andy serra la main de Jeremy.

— Très heureux de faire votre connaissance.

— Moi aussi.

— Bon, il va falloir que je retourne au restaurant, annonça Piper, lançant un coup d'œil inquiet à Andy. Ça va aller, Prue ?

Elle lui fit un signe de tête qui se voulait rassurant.

— Ça va aller. Je raccompagnerai Phoebe à la maison.

— Parfait, répondit Piper. Jeremy m'invite au restaurant après le service — ce n'est pas la peine de m'attendre.

Piper leur fit un signe joyeux de la main en sortant des urgences. Prue ressentit un léger pincement au cœur en voyant Jeremy prendre la main de sa sœur. Elle aurait bien voulu rencontrer un homme comme lui. Quelqu'un qui la protège et sur qui elle puisse compter.

Elle aimait énormément Andy, mais pouvait-elle avoir confiance en lui ? Deux jours auparavant, elle n'aurait pas hésité une seconde, mais vingt-quatre heures avaient suffi pour qu'elle change d'avis.

— Ouf, fit Andy. Je suis heureux de savoir que Phoebe va bien. Et si on prenait un café ?

Prue hésita. Dire qu'elle imaginait pouvoir être de nouveau amoureuse !

Mais cela faisait des années qu'elle n'avait pas revu Andy. Elle se rendait compte qu'elle ne le connaissait plus.

— Merci encore pour ce dîner, dit Piper en se glissant contre Jeremy.

— Tout le plaisir était pour moi, répondit Jeremy en passant son bras autour de ses épaules. Bien entendu, le repas n'était pas aussi réussi que si c'était toi qui avais cuisiné.

Piper sourit et l'embrassa. Elle n'avait jamais rencontré quelqu'un d'aussi prévenant. Elle en était presque effrayée. Pourquoi moi ? Pourquoi m'aime-t-il autant ?

— Piper, murmura Jeremy en la regardant avec insistance. Que s'est-il passé hier avec Phoebe ?

— Avec Phoebe ? (Piper se recula légèrement.) Qu'est-ce que tu veux dire ?

— Eh bien, tu sais, je n'arrête pas d'y penser. Elle t'a dit un truc à propos d'un pouvoir particulier. À quoi faisait-elle allusion ?

Piper sentit un léger frisson la parcourir.

— Oh ça, ce n'était rien.

Jeremy déposa un baiser sur son front et passa la main dans ses cheveux.

— Pourtant, Phoebe avait vraiment l'air sérieuse.

Piper ne comprenait pas ce qui lui prenait. Elle se redressa légèrement. Pourquoi tenait-il tant à le savoir ?

— Même si je pouvais te le dire, tu ne me croirais jamais, énonça-t-elle en essayant de maîtriser le tremblement de sa voix.

— Mais enfin, bien sûr que je te croirais ! Je crois tout ce que tu me dis.

Il lui caressa doucement la joue.

— Allez, vas-y.

Piper se sentait mal à l'aise. Elle éprouvait le besoin de lui expliquer qu'elle était une sorcière, mais comment allait-il réagir ? Et s'il la quittait ?

— Je veux tout savoir de toi, Piper, lui murmura-t-il à l'oreille. Je n'ai jamais rencontré une personne aussi merveilleuse que toi.

Piper sourit.

— Moi non plus, Jeremy, je n'ai jamais rencontré quelqu'un d'aussi formidable que toi, dit-elle.

Après tout, elle devrait peut-être se confier à lui. Elle prit une profonde inspiration et commença lentement :

— Jeremy, est-ce qu'il t'est déjà arrivé de vivre quelque chose que tu n'as jamais réussi à expliquer ?

— Bien sûr. Certains appellent ça des miracles. Je dirais plutôt que c'est la chance. Pourquoi ?

— Eh bien, voilà. Phoebe pense que nous avons des pouvoirs spéciaux. Enfin… toutes les trois. Phoebe, Prue et moi.

Elle attendit avec inquiétude la réaction de Jeremy. Comment allait-il prendre cette histoire ? Pour le moment, il semblait simplement intrigué.

— Quelle sorte de pouvoirs spéciaux ? Tu veux parler de ton talent exceptionnel dans l'art culinaire ?

— Non. Il s'agit de pouvoirs vraiment *très* spéciaux.

Elle fit une pause. Raconter la suite devenait tout à fait périlleux.

— Au début, je n'ai pas cru Phoebe, continua-t-elle. Et puis quelque chose de vraiment étrange m'est arrivé lorsque j'ai passé mon test chez *Quake*. C'était… comme si j'avais arrêté le temps, finit-elle par dire.

Elle lui expliqua alors tout dans les moindres détails.

— Je sais que c'est difficile à croire. Mais c'est pourtant la vérité.

Piper fut saisie de tremblements.

Mais Jeremy prit apparemment bien les choses : il lui passa la main dans les cheveux avec tendresse pour essayer de l'apaiser.

— Crois-tu que je suis folle ?

— Non, murmura-t-il. Tout va bien. Il faut que tu saches que tout ce que tu pourras me dire ne me fera jamais peur. Je t'aime. Mais je pense surtout que tu as trop travaillé ces derniers jours et que tu es un peu stressée.

Il ne la croyait pas.

— Tu as sans doute raison. C'est juste un petit moment de démence, dit-elle en se forçant à rire.

— Tu trembles. (Jeremy lui prit la main.) Je connais un truc pour te calmer.

Il mit le contact et démarra.

— Où allons-nous ? demanda Piper.

— Surprise ! Nous allons passer un moment dans un endroit merveilleux. La vue y est magnifique. Tu te sentiras mieux.

Piper se détendait. Que ferait-elle sans lui ? Ils atteignirent la sortie de la ville, où Jeremy tourna dans une ruelle sombre. Piper essaya de se repérer. Ils traversaient une zone industrielle déserte.

— Où tu m'emmènes ?

— Je veux te faire découvrir le vieux Bowing Building. La vue sur le Bay Bridge [1] y est exceptionnelle.

Piper n'aimait pas ce quartier. Trop sombre. Personne n'osait s'y aventurer. Comme il était étrange qu'il l'ait amenée là !

Jeremy s'arrêta devant un immense entrepôt.

— Nous sommes arrivés, dit-il en descendant du véhicule.

— Ah bon ?

1. L'un des ponts les plus célèbres au monde, comme le pont des Arts à Paris. *(N.d.T.)*

Phoebe ne pouvait quitter des yeux le vieux bâtiment tout délabré. Elle avait l'impression qu'il allait s'écrouler d'une minute à l'autre.

Jeremy se dirigea vers l'entrepôt.

— Tu n'as aucune raison d'avoir peur.

Piper descendit de la voiture à reculons et le suivit. Il força la porte qui s'ouvrit en grinçant.

La jeune fille écarquilla les yeux. Le bâtiment était plongé dans le noir. La seule lumière parvenait d'un vieux lampadaire rouillé. Ça sentait le moisi à l'intérieur. On pouvait trouver plus romantique !

— Excuse-moi, dit-elle d'un ton ferme, je ne doute pas que la vue soit superbe, mais il est hors de question que je mette les pieds là-dedans.

Jeremy lui adressa un sourire plein de malice.

— Je ne plaisante pas, insista-t-elle.

Il lui prit le bras pour la faire entrer avec lui.

— Allez, suis-moi. J'ai une surprise pour toi.

160

L'entraînant vers un monte-charge rouillé dont il actionna la poignée, il s'effaça pour la laisser passer.

Piper pénétra à petits pas dans la cabine. Jeremy la suivit et referma la grille. Il appuya sur un bouton, déclenchant le mécanisme du monte-charge qui se mit en branle dans un bruit métallique.

— Tu vas adorer ce que tu vas découvrir. Tu raconteras tout ça à Phoebe et à Prue lorsque tu les reverras. Et aussi à Andy, le copain de Prue. Il est bien flic ?

Piper frissonna.

— Je ne t'ai jamais dit qu'il était flic. (Nerveuse, elle fit un pas en arrière.) Comment es-tu au courant ?

— Zut ! dit Jeremy.

La lumière du monte-charge venait de s'éteindre après avoir clignoté une dernière fois.

Piper entendit un violent raclement de ferraille. La plate-forme s'était arrêtée après une dernière secousse. Son cœur battait la chamade. N'y tenant plus, elle hurla :

— Qu'est-ce qui se passe ?

Pas de réponse.

— Jeremy?

La faible lumière tremblota de nouveau. Jeremy se trouvait en face d'elle, un large sourire éclairant son visage. Il tenait à la main un couteau en or à double lame, dont la poignée était incrustée de pierres précieuses.

Piper était sur le point de s'évanouir. Ce devait être une blague!

Le sourire de Jeremy s'élargit encore davantage.

— La voilà, ta surprise!

CHAPITRE 16

Piper recula tandis que Jeremy avançait vers elle.

— Jeremy, arrête, ordonna-t-elle d'une voix ferme. Tu me fais peur.

Il s'approcha encore imperceptiblement, le couteau brandi.

— Parfait, répondit-il. Tu es censée avoir peur.

Le dos collé à la paroi du monte-charge, Piper était coincée. C'était un cauchemar…

— Jeremy, ça suffit ! Je suis sérieuse !

— Moi aussi.

Son ton devenait dur.

Piper se recroquevilla tandis que Jeremy se penchait vers elle.

— Ça fait six mois que j'attends ce moment! lui lança-t-il.

Sa voix se faisait plus grave, avec une résonance presque métallique… comme celle d'un démon.

Piper eut un brusque mouvement de recul tandis qu'il lui caressait la joue.

— Six mois, répéta-t-il. En fait, depuis que ta grand-mère est entrée à l'hôpital.

La confusion de Piper était totale. Elle avait rencontré Jeremy lors de l'hospitalisation de Grams, mais quel était le rapport avec tout le reste?

— Je savais que, lorsque cette vieille sorcière claquerait, vous alliez hériter de ses pouvoirs. Maintenant, le moment est venu.

Piper tentait de mettre de l'ordre dans ses pensées.

Ainsi, il connaissait l'existence de leurs pouvoirs avant même qu'elles en prennent conscience! Et il était devenu son petit ami pour se rapprocher d'elle et de ses sœurs.

Phoebe avait raison!

— Je savais que vos pouvoirs vous seraient révélés dès que vous vous retrouveriez toutes les trois ensemble, grommela Jeremy. Je n'avais plus qu'à attendre le retour de Phoebe. Maintenant, tout est simple.

La lame du couteau brilla dans la lumière blafarde de l'ampoule. *Il va me tuer!* se répétait Piper.

— Tu as assassiné toutes ces femmes!

— Non. Pas des femmes. Des sorcières.

— Mais pourquoi?

— Je vais te montrer pourquoi.

Il leva sa main libre, faisant apparaître des flammes au bout de ses doigts.

Piper hurla.

— C'était la seule façon pour moi de leur dérober leurs pouvoirs, expliqua Jeremy. J'ai volé celui-ci à l'une des sorcières que j'ai tuées. Elle n'a même pas cherché à se défendre.

Il éclata d'un rire démoniaque.

— À présent, je suis encore plus puissant que je l'ai jamais été.

— Tu… tu es… un démon, articula Piper.

— T'as enfin compris. Et lorsque j'aurai volé le pouvoir des trois sœurs, alors, plus rien ne pourra m'arrêter! N'es-tu pas en train de chercher comment utiliser ton pouvoir ?

Allez, se dit-elle pour s'encourager. *Tu peux y arriver. Il faut absolument que tu arrêtes le temps. Fais-le ! Fais-le !*

Piper se concentra de toutes ses forces, mais rien ne se passa.

— Laisse-moi sortir ! cria-t-elle. Au secours, à l'aide !

Jeremy l'attrapa violemment par le col de sa chemise, la faisant tournoyer. Sa bouche se fendit en un rictus mauvais.

Piper hurla de nouveau lorsque Jeremy dirigea le couteau vers sa poitrine.

CHAPITRE 17

— Nooon! gémissait Piper. Arrête, Jeremy, arrête !

Elle ferma les yeux, attendant que le couteau lui transperce le cœur. Mais rien ne se passa.

Elle rouvrit lentement les paupières. Le couteau était immobilisé juste sous son menton.

Jeremy se tenait au-dessus d'elle parfaitement figé, l'arme à la main. Son visage était déformé par une expression diabolique.

Piper faillit s'étrangler. Elle avait réussi. Elle ne savait pas comment, mais elle avait paralysé Jeremy juste avant qu'il ne la tue. Restait à trouver un moyen de sortir de là, car elle ne savait absolument pas combien de temps ce phénomène allait durer.

— Reste calme! se dit-elle à voix haute. Réfléchis, réfléchis.

Après s'être dégagée de l'emprise de Jeremy qui la tenait toujours par le col, Piper tira violemment sur la grille en fer du monte-charge. Il était bloqué entre deux étages. Au-dessous, une obscurité totale régnait et Piper n'avait aucune idée de la hauteur qui la séparait du sol. Par chance, l'étage supérieur se trouvait à portée de la main. Il lui suffisait de grimper et d'opérer un rétablissement. Elle pouvait sentir le sol en ciment. Elle y était presque…

Piper eut un haut-le-cœur en entendant de nouveau le vrombissement du moteur. Oh non! La machine repartait déjà! Elle jeta un regard en arrière et remarqua que les yeux de Jeremy retrouvaient leur éclat rougeoyant.

Il réussit à lui attraper une cheville.

— Nooon! hurla Piper, en lui décochant un coup de pied.

Jeremy, grognant de colère, s'accrochait à sa jambe et tirait de plus en plus fort.

Les ongles de Piper glissaient sur le revêtement en ciment. Elle réussit à s'allonger sur le sol, à la recherche d'un objet qui pourrait y traîner. Ses doigts sentirent quelque chose : un morceau de bois qu'elle agrippa de toutes ses forces.

Mais, dans un dernier effort, Jeremy parvint à lui faire lâcher prise. Elle tomba lourdement sur le plateau du monte-charge.

— Non ! hurla-t-elle, alors que Jeremy la menaçait de nouveau de son couteau.

D'un bond, Piper se redressa. Elle leva le bout de bois au-dessus de sa tête et le frappa de toutes ses forces.

Jeremy, assommé, lâcha le couteau et s'écroula.

Il est inconscient, se rassura-t-elle. Mais pour combien de temps ?

Reprenant son souffle, Piper fit redescendre le monte-charge et sortit comme une tornade de l'entrepôt, courant à perdre haleine pour sauver sa peau.

CHAPITRE 18

Phoebe se réveilla dans sa chambre plongée dans l'obscurité. L'accident l'avait surtout commotionnée et dès qu'elle avait pu sortir de l'hôpital, Prue l'avait ramenée à la maison. Elle s'était couchée immédiatement, et avait l'impression d'avoir dormi des heures.

— Les gamins, furent ses premiers mots.

Ils sont sains et saufs. Grâce à ma vision, je les ai sauvés !

Phoebe jeta un coup d'œil au réveil posé sur la table de nuit. Il était presque minuit. Elle avait un petit creux et décida d'aller se préparer un en-cas.

Elle se demandait où tout le monde était passé. Piper avait rendez-vous avec Jeremy.

Mais Prue, où était-elle ? Phoebe espérait qu'elle n'était pas sortie avec Andy. Elle sursauta lorsqu'elle entendit la porte d'entrée claquer.

— Prue ! Phoebe !

C'était la voix de Piper.

— Qu'est-ce qui se passe ? demanda Prue qui émergeait du salon plongé dans le noir.

Piper n'arrivait pas à reprendre sa respiration. Ses habits étaient sales et en lambeaux. Phoebe nota qu'elle avait un gros bleu sur un bras.

— Vite ! Verrouillez les portes ! hurlait Piper. Fermez toutes les fenêtres ! On n'a pas beaucoup de temps !

Phoebe se précipita sur la porte d'entrée, la fermant à double tour.

— Bon sang, mais qu'est-ce qu'il y a ? C'est grave ? demanda-t-elle, sans pouvoir maîtriser le tremblement de sa voix.

Piper l'attrapa par les épaules.

— Phoebe, dans *Le Livre des Ombres*, est-ce qu'on explique comment se débarrasser d'un démon ?

— À qui fais-tu allusion ? la coupa Prue. À Andy ?

— Non. À Jeremy. Il a essayé de me tuer ! Avec un des couteaux dont tu parlais. Double lame, poignée ciselée — le même que celui qui a servi à tuer les autres femmes. C'est lui l'assassin ! C'est un démon !

Phoebe ferma les volets du salon et Prue se précipita sur le téléphone.

— J'appelle la police, dit-elle en saisissant le combiné.

— Et qu'est-ce que tu vas leur raconter ? demanda Piper. Que nous sommes des sorcières ? Qu'un dingue possédant des pouvoirs surnaturels essaie de nous tuer ? Et même s'ils se déplacent, ils ne seront pas de taille à se défendre contre Jeremy et nous serons toujours les prochaines sur la liste.

Tremblant comme une feuille, Phoebe s'était adossée à la porte d'entrée. *Ça y est. Le premier démon vient de se manifester et, même si nous arrivons à vaincre Jeremy, il ne sera certainement pas le dernier.*

Prue reposa le combiné sur son support.

— Phoebe, va chercher *Le Livre des Ombres*.

Phoebe grimpa quatre à quatre les marches menant au grenier et se précipita vers le pupitre où se trouvait le grimoire. Elle en tourna les pages à toute vitesse.

Il devait bien exister un passage susceptible de les aider. Mais pourquoi Melinda Warren ne lui avait-elle pas donné la solution ?

Elle s'arrêta à la moitié de l'ouvrage où se trouvait une sorte de recette de cuisine, élégamment agrémentée d'enluminures. Les ingrédients semblaient toutefois très étranges.

Phoebe réalisa qu'il s'agissait d'une formule magique et — elle en était presque certaine — elle devait leur permettre de détruire un démon.

Elle dévala l'escalier.

— Je crois que j'ai trouvé la solution, annonça-t-elle à ses sœurs. On monte au grenier... allez, vite ! C'est notre seul espoir !

Prue était assise dans le grenier, devant une table basse ronde avec Phoebe et Piper, et se préparait à déclamer l'incantation que Phoebe avait extraite du *Livre des Ombres*. Elle posa le livre ouvert sur le parquet. Puis elle aida Phoebe et Piper à allumer les bougies blanches disposées en cercle autour de la table. Lorsqu'elles eurent terminé, Phoebe se dirigea vers l'interrupteur.

— Vous êtes prêtes ?

Le moment était venu. Prue prit une profonde inspiration et fit un signe de la tête. Phoebe éteignit la lumière.

Posée au milieu de la table, une coupelle plate était remplie d'un mélange d'huile et d'épices. Phoebe avait retourné la maison de fond en comble pour trouver neuf bougies de tailles et de formes différentes.

Prue relut une dernière fois l'incantation du *Livre des Ombres*.

— Bon. Nous avons frotté les neuf bougies avec l'huile et les épices. Et nous les avons mises dans la coupe pour qu'elles brûlent. On est bien d'accord ?

— Attends ! cria Piper. Je n'en compte que huit !

Phoebe tendit une minuscule bougie à rayures.

— On a oublié celle-ci.

— Mais c'est une bougie d'anniversaire ! fit remarquer Piper.

— Les réserves de Grams en matériel de sorcellerie ont diminué, déclara Phoebe.

Quoi qu'il en soit, pensa Prue, *nous ferons pour le mieux avec tous les éléments présents.* Phoebe alluma la dernière bougie et s'en servit pour enflammer les huit autres. La coupe rayonnait sous l'éclat des neuf lumières.

— Ensuite ? s'enquit Phoebe.

Prue se pencha sur le livre.

— Nous avons besoin de la poupée.

— Je l'ai, dit Piper.

Elle brandit une petite poupée qu'elle avait grossièrement taillée dans du savon.

— Parfait, dit Prue. On peut commencer.

— Encore un instant. Il est dit dans le livre que je dois d'abord chasser Jeremy de mon âme, dit Piper.

Elle prit quelques-unes des roses qu'il lui avait offertes et les plaça sur la tête de la poupée.

— « Ton amour va se faner et disparaître, récita-t-elle. De ma vie et du plus profond de mon cœur. »

Piper enfonça des épingles dans le ventre de la poupée, puis elle la souleva.

— Jeremy, laisse-moi tranquille. Va-t'en à jamais.

175

Elle lança la poupée et les roses dans la coupe embrasée. Les flammes léchèrent le savon et les fleurs.

Fascinée, Prue regardait la poupée fondre.

— Espérons que ça va marcher !

Lorsque Jeremy reprit connaissance, il était allongé sur le plateau du monte-charge.

En grognant de colère, il se remit sur ses pieds.

— Saleté de *sorcière* ! vociféra-t-il en appuyant sur le bouton de l'appareil.

Il sortit en trombe de l'entrepôt, bouillant de rage, et se mit à courir dans la rue déserte. C'est alors qu'une violente douleur l'immobilisa.

— Nooon ! rugit-il.

Il se plia en deux en se tenant l'estomac, fit quelques pas incertains, et réussit à s'appuyer sur une barrière.

L'envoûtement dont il était victime se révélait trop fort pour lui. Des épingles géantes lui traversaient le corps, déchirant sa chemise. Un hurlement de bête fauve à l'agonie résonna dans la nuit.

Jeremy ne mit pas longtemps à comprendre qu'il s'agissait d'un sort jeté par les *Charmed*. Il n'aurait jamais pensé qu'elles étaient capables de maîtriser leurs pouvoirs à ce point ! Son corps n'était plus qu'une plaie.

Sa poitrine enflait comme si elle allait exploser. Jeremy invoquait les forces du Mal.

Mais la douleur était insupportable. La barrière qui le soutenait céda sous son poids. Du sang jaillit de son visage et de sa poitrine. Il poussa un hurlement diabolique.

Prue, Piper et Phoebe, penchées au-dessus de la coupe, observaient la poupée qui brûlait.

BOOUUM !

Elles sursautèrent lorsque la coupe explosa. Les flammes qui s'échappaient des débris semblaient détenir une existence propre : c'était une vision fantasmagorique.

Quelques instants plus tard, le feu s'éteignit. Prue semblait sidérée. La poupée s'était totalement consumée.

— Super ! hurla Piper. Ça a marché !

— Je crois qu'elle a raison, ajouta Prue sur un ton à la fois amusé et surpris.

Elle donna une grande tape dans la main de Piper.

— On est des sorcières !

Phoebe se pencha au-dessus des cendres. À peine y avait-elle posé la main qu'elle se mit à trembler. Elle respira un grand coup avant de la retirer.

— Phoebe ! Phoebe, ça va ? s'inquiéta Prue.

Phoebe regarda fixement ses sœurs. Prue sentit les battements de son cœur s'accélérer en constatant que Phoebe restait clouée sur place.

— Non, ça ne va pas, énonça-t-elle d'un ton solennel. Nous sommes mal parties. Le sort n'a pas fonctionné…

CHAPITRE 19

— Qu'est-ce que tu veux dire ? Es-tu vraiment sûre que ça n'a pas marché ? s'exclama Prue. J'ai pourtant vu les flammes. Ce n'était pas un feu normal !

— Je sais, mais j'ai eu une vision, expliqua Phoebe. J'ai vu Jeremy. Nous l'avons blessé, mais nous ne l'avons pas tué. Il ne va pas tarder à arriver.

Il ne leur restait plus qu'une seule chose à faire.

— Décampons d'ici ! cria Prue.

Telle une furie, elle dévala l'escalier, ses deux sœurs sur les talons. Arrivée dans le hall, elle saisit la poignée de la porte d'entrée, l'ouvrit... et hurla.

Là… sur le perron… juste devant elles, se tenait Jeremy !

Ses vêtements déchirés étaient maculés de boue et de sang. Son corps était transpercé de part en part par les épingles ayant servi à l'envoûtement. Un sourire mauvais lui barrait le visage.

— Salut, les filles.

Les trois sœurs rentrèrent dans la maison, mais Jeremy réussit à y pénétrer, lui aussi.

Il sortit de sa poche le couteau au manche ciselé et le brandit au-dessus de sa tête. Prue fit un rempart de son corps pour protéger ses sœurs. Puis elles reculèrent lentement, afin de s'éloigner le plus possible de lui.

Prue ne chercha qu'à éveiller le pouvoir dont elle avait pris conscience. Elle plissa les yeux, concentrant sur lui toute son énergie de sorcière.

Le corps de Jeremy se souleva brusquement dans les airs et s'écrasa contre la porte.

— Piper ! Phoebe ! Partez, vite ! Je le retiens !

Prue les entendit grimper l'escalier quatre à quatre. Elle se recula légèrement pour surveiller Jeremy.

Il réussit à se remettre debout ! Prue, désespérée, constatait qu'il ne semblait même pas souffrir.

Elle se concentra de nouveau. Jeremy se remit à flotter dans l'espace et finit par être projeté contre un mur sur lequel étaient accrochées des photos de famille. Les sous-verre se brisèrent et les débris se répandirent sur le sol.

Dès que Jeremy s'effondra, Prue se précipita dans l'escalier.

Prue entra dans le grenier, claquant violemment la porte derrière elle. Ses sœurs, angoissées, l'y attendaient.

— Tout va bien, commenta-t-elle, à bout de souffle. Nos pouvoirs sont en train de se développer.

— Ce n'est pas ça qui va le retenir, remarqua Phoebe.

Prue aida Piper à pousser une armoire contre la porte. Phoebe y disposa une chaise... qui s'écrasa sur le sol. Les trois sœurs hurlèrent.

Une voix caverneuse leur parvint de l'autre côté de la porte. Le démon Jeremy s'esclaffait.

— Espèces de sorcières minables. Rien, absolument rien ne pourra m'arrêter !

Les trois sœurs examinèrent le grenier. Apparemment, il n'existait pas d'issue de secours. Elles étaient prises au piège !

Le cœur battant, Phoebe attrapa la main de Piper. *Calme-toi*, se disait-elle. *Il doit bien y avoir un moyen de sortir d'ici.*

À ce moment précis, la porte vola en éclats.

Jeremy entra dans le grenier, le visage en sang, toujours armé de son couteau à la poignée ciselée. Il riait comme un dément.

— Allez, venez ! cria Prue en saisissant ses sœurs par la main. On va faire front ensemble !

Jeremy fit un pas vers elles en brandissant son arme.

Elles ne pouvaient pas mourir aussi bêtement !

— Souvenez-vous de la planche aux esprits ! leur ordonna Prue.

Elles avaient la solution.

— L'inscription qu'il y avait au dos ! lâcha Phoebe, se rappelant la nuit où Melinda lui était apparue. Le pouvoir des trois !

Prue se mit à psalmodier.

— « Le pouvoir des trois nous libérera. »

Phoebe et Prue se joignirent à elle :

— « Le pouvoir des trois nous libérera. »

— Non ! grogna Jeremy.

Il ne put résister à la formule magique et fut projeté bruyamment contre l'encadrement de la porte.

Phoebe comprit qu'une énergie inhabituelle et nouvelle était en train de la traverser. Elle n'avait jamais ressenti ce type de sensation.

Les trois sœurs ne se lâchaient pas la main et continuaient leur chant : « Le pouvoir des trois nous libérera. »

Jeremy se remit presque aussitôt de sa chute. Il se releva et pointa ses mains vers les sorcières. Un cercle de feu les entoura.

Piper cria :

— Allez ! Unissons nos pouvoirs !

Et elles reprirent leur litanie de plus belle. Les flammes commençaient à les effleurer, mais elles ne ressentaient pas de brûlure.

Jeremy, ne comprenant pas la résistance qui lui était opposée, tendit de nouveau ses mains vers elles.

Le feu se transforma en un tourbillon de poussière.

Phoebe suffoquait. Sa voix se brisa. Elle sentit que Prue lui serrait la main de plus en plus fort.

— « Le pouvoir des trois nous libérera ! » continuait-elle à hurler.

Un éclair traversa la lucarne du grenier. Le tonnerre fit trembler la maison. Phoebe réalisait que cette formule guidait une force qui les dépassait.

La tornade de poussière tournoyait de plus en plus vite, de plus en plus fort. Elle se déplaçait en direction de Jeremy.

— « Le pouvoir des trois nous libérera ! Le pouvoir des trois nous libérera ! »

Phoebe ne quittait pas Jeremy des yeux. Le tourbillon l'enveloppait, le propulsait.

Les éclairs et le tonnerre s'amplifièrent... Phoebe et ses sœurs chantaient inlassablement leur mélopée.

La spirale enserrait Jeremy de plus en plus fort. Il en prit la forme comme si elle l'avalait et fut englouti.

Les trois sœurs ne cessèrent pourtant pas leur litanie.

— « Le pouvoir des trois nous libérera !
Le pouvoir des trois nous libérera ! »

Une chouette ulula au centre du tourbillon. Puis un serpent apparut au milieu de
la pièce. Phoebe en eut le souffle coupé. Il
avait le visage de Jeremy !

— Je ne suis pas le seul ! Je suis un parmi
des millions ! Partout, je serai sur votre chemin ! Ce sera l'enfer sur terre ! Vous ne vous
en sortirez jamais ! rugissait-il. Vous ne serez
jamais libres !

Il poussa un dernier hurlement avant de
disparaître dans un nuage de poussière.

Le fracas des éléments déchaînés fit place
à un silence anormal.

Phoebe, Piper et Prue se retrouvèrent
seules dans le grenier, main dans la main.

— Le pouvoir des trois... commenta Prue.

Les trois sœurs se laissèrent tomber à
terre. Elles étaient saines et sauves. Mais
pour combien de temps ?

CHAPITRE 20

Le lendemain matin, Prue se réveilla parfaitement détendue. Elle avait l'impression qu'elle n'avait pas aussi bien dormi depuis des années. Puis les événements de la nuit précédente lui revinrent en mémoire.

Plus rien ne serait comme avant. Elle s'était consacrée à son travail, à ses amours et à ses sœurs. Et maintenant, elle devrait apprendre à vivre dans un univers où régnaient les forces du Mal, et à utiliser ses pouvoirs pour faire le Bien. Elle éclata de rire.

Prue se doucha rapidement avant d'enfiler un T-shirt rouge et un jean. Puis elle descendit chercher le journal. Piper et

Phoebe dormaient encore. Elle ouvrit la porte d'entrée pour ramasser le quotidien posé sur la marche supérieure du perron.

— Bonjour !

Elle se redressa vivement et découvrit Andy debout en bas de l'escalier. Il gravit les marches.

— Quelle surprise ! lança Prue.

Elle était heureuse de le voir. *Ce n'est pas un démon*, se disait-elle. *Enfin, probablement pas.*

Prue comprenait qu'elle l'avait très mal jugé. Si son comportement s'était révélé étrange, de son côté elle avait fait preuve d'une conduite pour le moins bizarre. Elle voulait lui présenter des excuses, mais ne savait comment lui expliquer les motifs de son comportement.

— Qu'est-ce que tu fais si tôt ici ?

— Eh bien, en fait… hésita-t-il, je voulais te demander si tu accepterais de dîner avec moi, ce soir. Et puis aussi le soir suivant. Et ainsi de suite. À moins, bien sûr, que tu n'aies peur.

— Peur de quoi ?

— Tu pourrais peut-être me l'expliquer. Tu semblais si pressée hier. Je n'ai pas cessé de me demander ce que j'avais fait de mal.

— Non, Andy. (Elle éprouvait quelque difficulté à trouver ses mots.) Tu n'as rien fait de mal. Vraiment.

Elle détourna le regard.

— Eh bien, reprit-il, pour ce soir, ça te va d'aller chez *Francesca*? À huit heures?

Prue désirait vraiment passer la soirée avec lui. Pourtant, au moment de dire oui, quelque chose la retint. Où cela la mènerait-il? Elle avait tellement changé en si peu de temps. Elle n'était plus celle qu'Andy avait connue. Certes, il n'était pas un démon, mais pouvait-elle lui avouer qu'elle était une sorcière?

— Tu sembles hésiter, dit Andy avec un sourire mélancolique.

— Oui, répondit tristement Prue. Mais ce n'est pas à cause de toi. Ma vie… comment dire… ma vie est un peu compliquée. Je t'aime beaucoup. Mais, je… enfin je ne peux pas me lancer dans une relation en ce moment. Est-ce que je pourrai te téléphoner?

— Bien sûr, dit-il en sortant une carte de visite de sa poche et en la lui tendant.

« Appelle-moi quand tu veux. Si tu as besoin de quoi que ce soit… Prue, prends bien soin de toi.

— Merci, Andy.

Elle se sentit envahie par la tristesse tandis qu'il regagnait sa voiture.

La porte s'ouvrit derrière elle. Piper et Phoebe, en survêtements, sortaient faire leur jogging.

Elles regardèrent avec étonnement la voiture d'Andy s'éloigner.

— Qu'est-ce qu'il voulait? demanda Piper.

— Il est venu pour m'inviter à dîner ce soir au restaurant.

— Super! s'écria Phoebe. Maintenant que nous sommes presque certaines qu'il n'est pas un démon, tu as ma bénédiction!

Prue plissa le nez.

— Qu'est-ce qu'il y a? Tu n'as pas accepté? questionna Piper.

— J'ai failli et puis finalement j'ai refusé. C'est quelqu'un de très bien. Il mérite de rencontrer quelqu'un avec qui il puisse tout partager. Je me demande si je pourrais avoir une relation normale avec un homme. Les sorcières peuvent-elles accepter les rendez-vous galants?

Piper et Phoebe s'approchèrent de leur sœur.

— Non seulement elles le peuvent, mais elles choisissent les types les plus intéressants, lui dit gentiment Piper.

— Et les plus riches! ajouta Phoebe dans un éclat de rire.

— Mais comment être sûre de ne courir aucun danger? Comment savoir en qui avoir confiance? continuait Prue, très troublée.

— Nous ne pouvons soupçonner tous les hommes que nous allons croiser, ajouta Piper. Il faudra se fier à notre instinct. Peut-être que, dans quelque temps, nous saurons repérer un démon à des kilomètres.

Prue n'en était pas convaincue.

— Il y a quelque chose de positif dans toute cette histoire, c'est que nous sommes certaines de ne jamais nous ennuyer, dit Phoebe.

— Mais nous ne serons plus jamais les mêmes! protesta Prue.

— Prue a raison, dit Piper. Qu'est-ce que nous allons faire ?

— Qu'est-ce que nous *ne pouvons pas* faire ? corrigea Phoebe en souriant malicieusement.

Prue remonta l'escalier, suivie de ses deux sœurs.

— Nous devrons nous montrer vigilantes, dit Prue en rentrant dans la maison. Nous serons raisonnables et, par-dessus tout, solidaires envers et contre tout.

Les trois sœurs se trouvaient à présent dans le vestibule. Prue jeta un regard à la porte restée ouverte, puis à Piper et Phoebe. Une expression malicieuse se dessina sur ses traits. *Pourquoi pas ?* se dit-elle.

D'un simple signe de la tête en direction de la porte, elle la fit se refermer.

Piper lui adressa un large sourire.

— Ça pourrait devenir intéressant...

Dans la même collection

Composition : Francisco *Compo* 61290 Longny-au-Perche
Impression réalisée sur Presse Offset par

BRODARD & TAUPIN

GROUPE CPI

23688 - La Flèche (Sarthe), le 18-06-2004 – Dépôt légal : novembre 2001
Suite du premier tirage : juin 2004

Imprimé en France

12, avenue d'Italie • 75627 PARIS Cedex 13

Tél. : 01.44.16.05.00